이 책을 읽으시는

______________________님의

더 아름다운 라이프를

기원합니다.

3년 연속 슈퍼호스트의 제주에어비앤비

지은이 정승찬
지은이 이메일 masterpl1@naver.com

발 행 2023년 12월 25일
펴낸이 한건희
펴낸곳 주식회사 부크크
출판사등록 2014.07.15.(제2014-16호)
주 소 서울특별시 금천구 가산디지털1로 119 SK트윈타워 A동 305호
전 화 1670-8316
이메일 info@bookk.co.kr

ISBN 979-11-410-5990-3
가 격 15,000 원

www.bookk.co.kr

*본 책은 메타버스 정기모임 <90일 작가되기 프로젝트>를 통해서 출간된 책입니다. *본문에 적용된 서체는 부크크체를 사용해서 제작되었습니다.

#dobby_is_free #제주에어비앤비 #경제적자유

Tatum

슈퍼호스트

560개

4.96★

3년

구사 언어: 영어

호스트가 직접 돌담을 쌓고 집을 지었습니다. ^^
Host built stonewall and house himself :D

3년 연속 슈퍼호스트의

제주 에어비앤비

지음 **정승찬**

작가 이야기

어렸을 때에는 그저 열심히 살면 된다고 생각했었습니다.

하지만 살다 보니 실력이 부족하더라도 주변에 '시야'가 넓은 지인이 있는 사람들이 더 좋은 기회를 잡아 잘 나가는 모습들을 보았습니다.

저의 첫 책 독자님에게 머리 숙여 보답하는 마음으로 저의 살아있는 제주 펜션 운영 경험과 펜션 거래, 그리고 수많은 지인들을 통해 얻게 된 '시야'를 아낌없이 공유해 드리겠습니다.

책을 읽고서 생긴 궁금증들도 카페를 통해 해결하실수 있도록 끝까지 도와드리겠습니다.

이 책을 통해 보통의 분들에게도 기본적인 실력만 있다면 더 좋은 기회가 제주에 있다는 희망을 드리고 싶습니다.

어떤 경로일지, 언제일지 모르지만, 이 자기소개를 읽고 계실 독자님에게 큰 감사를 드립니다.

정보가 절대적으로 부족한 '제주펜션'에 대한 저의 가이드북이 증거가 되고 용기와 만나 도전이 되기를 바랍니다.

머리말 - 책값의 500배는 뽑으실 수 있는 책

저는 에어비앤비를 통한 펜션 운영자이면서, 부동산을 운영하는 중개사입니다. 주변에 친한 펜션 운영자들도 많고, 펜션을 팔고, 사고, 빌려주고, 빌리는 모든 입장을 중개하는 중개사입니다.

운이 좋아서 장사가 잘되는 펜션 사장님들을 많이 알고 있습니다. 시작할 때 저도 그분들에게 배워 잘 자리 잡게 되었습니다.

제주도로 오기 전에 경매학원에서 직원으로 근무했던 경력이 있습니다. 장사가 안되고 안되어서 결국 경매로 나온 물건들도 임장 가보았습니다. 물론 낙찰 받는 것에도 관여해 내부 시설까지 확인해 보았습니다.

의도치 않게 잘되는 펜션과 안되는 펜션 모두를 계속 경험할 수 있었던 거죠. 덕분에 시설과 구조만 보아도 잘되고 안되고를 파악할 수 있게 되었습니다. (혹은 사장님만 봐도)

"회사 때려치우고 제주도에서 펜션이나 하고 싶다." 가끔 듣게 되는 푸념입니다. 워낙 펜션으로 성공한 분들을 많이 보다 보니 저는 일말의 망설임도 없이 펜션을 하라고 합니다. 다만 자기의 자아가 너무 강한 분들에게는 아무 말도 하지 않습니다. 대부분 자기 생각대로만 운영하다가 고객의 외면을 받게 되기 때문입니다.

부동산 중개업을 하면서 만나본 수많은 펜션 예정자분들의 궁금증에 대답을 드릴 수 있었습니다. 궁금해하시는 것들 혹은 오해하시는 부분들이 겹친다는 것을 알게 된 때부터 조금씩 기록을 남기기 시작했습니다.

펜션을 하는 법으로 임대와 매매가 있지만 어떤 것을 택하더라도 잘못된 선택은 큰 손실을 줍니다.

이 책 한 권으로 손실 대신 매출을 올리고 차후에 토지상승분까지 가져갈 수 있다면, 최소한 책값의 500배는 뽑으실 수 있다고 생각하며 자신 있게 추천해 드립니다.

알리바바 그룹 창업자 마윈의 명언

세상에서 같이 일하기 가장 힘든 사람은 가난한 사람이다.

자유를 주면 함정이라 말하고 작은 비즈니스를 하자고 하면 돈을 별로 못 번다고 말하고 큰 비즈니스를 하자고 하면 돈이 없다고 말을 한다.

새로운 일을 시도하자고 하면 경험이 없다고 하고 전통적인 비즈니스를 하자고 하면 레드오션이라 어렵다고 하고 새롭고 혁신적인 비즈니스라고 하면 다단계라 하고 상점을 함께 운영하자고 하면 자유가 없다고 하고 신규사업을 하자고 하면 자신은 전문가가 아니라고 한다.

그들에게는 공통점이 있다. 구글이나 포털에 검색하는 것을 좋아하고 희망이 없는 친구들에게 의견을 듣는 것을 좋아한다. 그들은 대학교수들보다 더 많은 생각을 하지만 앞을 보지 못하는 맹인 보다 더 적게 행동으로 옮긴다.

그들에게 무엇을 할 수 있는지 묻는다면 그들은 아무 대답도 할 수 없을 것이다. 내 결론은 간단하다. 당신의 빨리 뛰는 심장보다 더 빨리 행동하고 생각해 보는 것 대신에 무언가를 그냥 하라

가난한 사람들은 공통적인 한 가지 행동 때문에 실패한다. 그들의 인생은 기다리다가 끝이 난다.

그렇다면 현재 자신에게 물어봐라. 당신은 가난한 사람인가?

감사의 말

출간을 할 수 있게 인도해 주신 올레비엔님, 거칠게 문장 지도를 해주신 정승범님, 펜션을 지을 수 있게 인도해 주신 김원우님, 펜션의 마케팅과 운영의 길을 인도해 주신 이혜경님께 감사드립니다.

펜션운영에 네비게이션이 되어주신 김지숙님과 저를 통해서 펜션 거래를 하신 모든 분들에게도 감사드립니다.

1. 에어비앤비란 무엇인가?

2. 개념 정리하기

3. 그래서 그게 돈이 됩니까?

4. 작가의 제주 정착 이야기

5. 제주도 · 제주사람 · 제주부동산

6. 펜션 주인이라면 갖춰야 할 덕목

7. 21세기의 홍보방법

8. 슈퍼 호스트의 슈퍼 노하우

9. 다른 책에서는 절대 볼 수 없는 살아있는 제주도 펜션 지식

10. 맺음말

1. 에어비앤비란 무엇인가?

에어비앤비란 무엇인가?

<Airbnb>

에어비앤비는 미국의 숙박 공유 플랫폼으로 손님이 객실을 빌리고 주인에게 돈을 지불하는 것을 중개해주고, 수수료를 받아갑니다. Airbnb는 (AirBed&Breakfast)의 약자입니다. 원래는 남는 방의 Airbed를 빌려주고 아침식사를 제공하는 취지로, 여행객이 현지인의 삶을 체험하면서 여행할 수 있도록 하는 취지였습니다. 지금은 집 전체나 객실 전체를 빌려주는 형태로 바뀌었지만, 여전히 현지인과 소통하며, 현지의 느낌을 느낄 수 있는 숙소를 제공하는 곳이 많습니다.

이해하기 쉽게 만약 여러분이 에어비앤비를 통해 제주도에 있는 숙소를 임대하였다면, 시골길을 따라 귤밭을 지나서 지인의 집에 내가 놀러 간 듯한 느낌을 받을 수 있습니다. 또 지인이 그렇게 하듯이 호스트가 추천해준 맛집을 다니고 추천받은 코스를 즐길 수 있으며, 문제가 생겼을 때 도움을 요청할 수도 있습니다. 이렇듯 호스트를 잘 만난다면 제주도 지인에게 초대받은 듯한 특별한 경험을 할 수 있습니다.

에어비앤비의 장점

<자유 평등 우애>

1. 에어비앤비에서는 게스트(손님) 뿐 아니라, 호스트(주인)도 게스트(손님)에 대한 후기를 남길 수 있습니다. 에어비앤비에서는 손님이 진상짓을 하면 패널티를 받는다는 점이 한국식 별점 후기 제도에 지친 자영업자들에게 깊은 울림을 줄 것이라 생각합니다. 게다가 게스트의 근거 없는 악성후기를 삭제할 수 있습니다. (저는 아직 해본적은 없습니다. 이 책을 읽는 분들도 이런일은 발생하지 않으시길 바랍니다.)

2. 에어비앤비에서는 숙소명 검색으로 숙소를 찾을 수가 없습니다. 내가 여행 장소와 날짜를 입력하면 거기서 순위대로 보여주는 것입니다. 여기서 또 한가지 놀라운 점은, 신규로 오픈한 숙소를 일정기간 동안 우선적으로 보여준다는 점입니다. 그래서 신규 숙소 라도 공평한 노출의 기회를 얻을 수 있습니다. 특별히 광고비를 받지도 않습니다. 기존의 자리잡은 강자들과 키워드 광고로 인해서 기회를 얻기 힘든 국내 사이트와 차별되는 점이라고 할 수 있습니다.

3. 에어비앤비는 호스트를 보호하는 프로그램이 있습니다.

손님이 물건을 파손하는 것에 대비하는 프로그램입니다. 에어비앤비에는 손님이 결제한 카드번호가 있으며 이를 바탕으로 게스트에게 손해 청구를 합니다. '아프니까 사장이다' 라는 카페까지 있는 한국의 자영업자의 관점에서 보면 에어비앤비는 손님과 사장 모두 평등하고, 자유로우며, 신규 진입 숙소에게도 우애가 있습니다.

슈퍼호스트란?

슈퍼호스트는 탁월한 호스팅을 제공하기 위해 열과 성을 다하는 호스트입니다. 숙소 페이지와 호스트 프로필에 슈퍼호스트 배지가 표시되므로, 게스트는 슈퍼호스트를 쉽게 알아볼 수 있습니다.

슈퍼호스트 자격요건

- 숙박 10건 이상 호스팅 또는 3건의 예약에 걸쳐 총 100박 이상 호스팅
- 응답률 90% 이상 유지
- 예약 취소율 1% 미만 유지. 단, 정상참작이 가능한 상황에 따른 예약 취소는 제외
- 전체 평점 4.8점 이상 유지

꾸준한 노력으로 슈퍼호스트가 되어 숙소노출이 늘어나고 높은 수입을 올릴 수 있습니다.

2. 개념 정리 하기

에어비앤비와 펜션의 정의

<개념 정리>

에어비앤비는 앞에서 소개했듯이 미국의 숙박 공유 플랫폼으로 비슷한 서비스로는 여기어때, 야놀자 등이 있습니다. 펜션은 그 플랫폼에 각자의 숙소를 등록하여 손님이 지급한 돈에서 수수료를 제한 돈을 플랫폼으로 부터 받게 됩니다.

쉽게 말해 에어비앤비는 백화점이고 각 펜션들은 입점 업체인 것으로 백화점은 공간을 제공해주고 각 업체들이 제품과 판매 및 서비스 등 모든 것을 담당합니다. 입점업체는 A백화점에도 입점할 수 있고, B백화점에도 입점할 수 있습니다.

같은 방식으로 한 개의 펜션도 에어비앤비, 네이버, 여기어때, 야놀자, 아고다, 호텔스닷컴 등 수없이 많은 플랫폼에 등록할 수 있습니다. 플랫폼마다 각각의 특성들이 있기에 자신에게 맞추어 이용할 수 있는데, 제 경우는 에어비앤비의 손님층이나 호스트를 대하는 방식이 좋아서 에어비앤비만을 사용합니다.

펜션은 뭐고 농어촌민박은 뭔가요?

<개념 정리>

일반음식점은 운영형태에 따라 호프집이나 포차, 식당 등으로 이름을 붙입니다.

농어촌 민박 허가를 받은 숙소도 운영형태를 알기 쉽게 ◇◇펜션, ◇◇여성전용 게스트하우스, ◇◇파티 게스트하우스, ◇◇스테이, ◇◇풀빌라 등으로 이름짓게 됩니다.

게스트하우스라면 대문이 하나에 각각 독립된 방으로 들어가는 형태, 풀빌라는 수영장(Pool)이 있는 고급을 강조, 오션뷰는 바다가 보인다는 것을 강조한 이름입니다. 가게이름을 짓는 것이 개인의 자유이듯 이 뒤에 붙이는 펜션, 풀빌라 등의 명칭도 자유입니다.

법적으로 분류 : 농어촌 민박 = 일반음식점
운영형태 분류: 펜션이나 게스트하우스 = 호프나 포차
스테이, 풀빌라 = 식당 등

모든 집에서 에어비앤비가 가능한가요?

<개념 정리>

제주도에 농어촌 민박을 받은 경우와 받지 못하는 경우가 있습니다. 농어촌 민박을 받을 수 있다면 단기숙소가 가능하고, 받지 못한다면 한달 살기 숙소로만 가능합니다.

제주도에서 농어촌 민박 허가를 받아서 단기숙박을 하기 위한 필요 조건을 정리해 보겠습니다.

1. 아파트나 빌라 같은 공동주택이 아니어야 합니다.
2. 전체 면적이 230㎡, 즉 69.69평 이하여야 합니다.
3. 불법으로 증축 또는 변경한 부분이 없어야 합니다.
4. 집에 주인이 같이 살고 있어야 합니다. 집이 두 채인 경우라면 한 채에는 주인이 살고, 한 채는 손님이 지내는 곳으로 신고합니다. 집이 한 채라면 방으로 구분되어 있고, 방에 잠금장치가 있어야 합니다. 확인 검사 당일에는 물품으로 거주 여부를 확인합니다.

농어촌 민박을 하려면 기본적으로 알아야 할것들

<개념 정리>

농어촌민박을 준비중이시라면 우선은 전입신고를 하고 미래를 준비하셔야 합니다.

농어촌정비법 제86조(농어촌민박사업자의 신고) ②항 2목 농어촌지역 또는 준농어촌지역의 관할 시 · 군 · 구에 6개월 이상 계속하여 거주하고 있을 것(농어촌민박사업에 이용되고 있는 주택을 상속받은 자는 제외한다) ③항 2목 농어촌민박을 신고하고자 하는 관할 시 · 군 · 구에 3년 이상 계속하여 거주하였으며, 임차하여 2년 이상 계속하여 농어촌민박을 운영하고자 하는 자

2020년 2월11일 이후부터 매매를 통해 신규 농어촌민박사업을 하실 분은 6개월 이상 거주하고 있어야 하며, 임차를 통해 신규 농어촌민박사업을 하실 분은 3년 이상 거주하고 있어야 하며, 임차기간도 최소 2년 이상이어야 합니다.

매매를 통해 진행하신다면 6개월 이상 거주가 큰 문제가 되지는 않습니다. 잔금기간을 2~3개월 정도 잡고, 잔금 후 내부 수리 및 준비를 하다 보면 6개월이 거의 다 지나가기 때문입니

다.

보통 임차를 통해 진행하실 때 3년 이상 거주가 문제가 됩니다. 이 3년 이상 거주 요건이 생긴 이유는 다음과 같습니다.

농어촌민박사업의 취지는 수확 철에만 현금이 생기는 농어민들에게, 집 일부를 손님에게 빌려주어 농번기에도 현금을 벌 수 있도록 만든 것인데 정작 정보가 빠른 대도시 사람들이 이주하여 펜션으로 돈을 벌기에 2020년 2월 11일부터 거주여건이 추가된 것입니다. 그래서 임차로 펜션을 하실 분들은 미리와 계신 가족분과 함께 하는 등 방법을 찾아보셔야 할 것입니다.

우선 주택을 매매 혹은 임차로 취득한 상태로 가정하겠습니다. 책 앞부분에서 기간에 대한 설명은 드렸습니다. 이제 펜션의 이름을 정하시고 읍.면.동 사무소에 찾아가셔서 담당자를 만나서 신청서 작성을 하셔야 합니다. 신청을 하시고 나면 담당 공무원이 직접 펜션에 방문을 하여 사진을 찍어갑니다. 펜션이라는 곳이 새로운 손님들이 계속 오는 곳이기 때문에 비상상황이 발생했을 때 쉽게 대피할 수 있는지, 안전에 대한 부분 등을 검사합니다. 그래서 소화기가 실마다 있는지 방마다 단독경보형감지기가 설치 되어있는지 등을 검사합니다. 또 펜션에 주인이 거주하는지 여부도 확인합니다. (소화기나 단독경보형감지기는 인터넷에서도 살 수 있습니다. 미리미리 인터넷으로 주문하세요.)

문제를 잡아내러 오는 것이 아니라 법에 정해진 기준을 지키고 있는지를 확인하러 오는 것이기에 너무 걱정하지 않으셔도 됩니다. 또 그 기준을 지키고 있는 것을 사진으로 남겨서 문서로 제출 보관하는 것이 담당자의 업무입니다. 행여나 부족한 부분이 있더라도 보완할 수 있는 기한을 줍니다. 펜션을 시작하려는 사람이 많으면 오래 대기해야 하고, 없다면 며칠 내로 공무원이 방문 합니다. 별다른 사항이 없다면 농어촌민박사업자가 나옵니다.

이제 농어촌민박 사업자를 가지고 세무서에 사업자등록증을 받으러 갑니다. 사업자등록증도 발급 받았고, 농어촌민박사업자를 잘 보이는 곳에 걸어두면 이제 영업준비 시작입니다.

◇◆◇◆◇

3. 그래서 그게 돈이 됩니까?

이제부터는 펜션이라고 표현하겠습니다.

<펜션>

책의 앞 부분에서는 플랫폼으로서의 에어비앤비의 장점에 대하여 썼습니다. 에어비앤비를 이용하는 사람은 여행경험이 많은 혹은 많아지고 싶은 사람이라고 생각 하고 있기에, 에어비앤비 손님을 더 선호하고 있습니다. (숙소의 규칙은 거의 비슷하기에 여행을 많이 가보신 분이 더 이해도가 높습니다.)

게다가 에어비앤비안에서는 게스트와 호스트가 동등하기 때문에 저는 에어비앤비만 사용하고 있습니다. 물론 게스트가 지불한 만큼의 만족도를 반드시 드려야 한다는 생각으로 운영하고 있습니다.

에어비앤비 단기 숙박을 위해서는 펜션 즉 농어촌 민박사업자가 필요합니다. 또한 본질인 '펜션 자체'의 운영과 홍보, 제주도의 특징, 그리고 부동산의 특징에 대해서 말씀 드리려 합니다. 하여 제가 앞으로 말하는 펜션이라는 명칭에 (에어비앤비)가 포함되어 있다고 생각하시고 읽어주시기 부탁드립니다.

혼동 없으시길 바라겠습니다.

펜션 그거 돈이 됩니까?

<펜션 돈이 됩니다.>

2020년 2월 11일 농어촌정비법 제86조 2항과 3항이 신설되어, 소유한 자가주택을 펜션으로 운영하려는 자는 관할 시·군·구 에 6개월 이상 계속 거주하였어야 하고, 임차하여 펜션을 운영하고자 하는 자는 관할 시·군·구 에 3년 이상 계속 거주하였어야 하면서, 임대차는 2년 이상으로 하여야 펜션 허가를 받을 수 있게 되었습니다.

쉽게 말해 법을 개정하여 외지인을 막으려 한다는 것입니다. 굳이 법까지 바꿔가며 막는다는 것은, 돈이 된다는 뜻입니다. 다만 현지인들은 돈을 못 벌고 있고 관광객의 심리를 잘 이해하고, 인터넷에 익숙한 대도시출신의 젊은 사람들만 돈을 벌기에 그들을 막기 위한 일종의 장벽을 만든 것입니다.

관광객의 심리도 모르겠고 인터넷도 잘 모르겠다고요? 제가 무엇을 배워야 하는지 차근차근 풀어드리겠습니다. 필요한 것은 용기와 희망입니다.

임차로 시작할 수도 있고 매매로 시작할 수도 있습니다. 실패를 피하고 안정적인 매출을 일으켜 희망을 품고 잠자리에 드실 수 있습니다.

잘 구매한 펜션 하나는 나의 올바른 관리를 통해 안정적인 수입을 주고, 편안한 노후는 물론 다음 후손의 먹거리까지 됩니다. 게다가 펜션에서 쌓은 손님과의 신뢰를 바탕으로 수많은 먹거리를 발생시킬 수 있습니다.

집을 보면 그 사람을 알 수 있다는 말이 있습니다. 펜션에 오는 게스트는 호스트에 대해 생각보다 많은 것을 느끼고 알게 됩니다. 만나지 않아도 게스트에 대한 배려를 느끼며 신뢰 관계를 형성할 수 있습니다.

지금도 많은 분이 펜션 이용객들에게 추가로 귤밭 체험, 농산물, 공예품, 실용품, 요가 등의 수업을 제공하며 높은 수익을 올리고 있습니다. 그 시작은 펜션에서 쌓은 작은 신뢰입니다.

펜션 얼마면 되나요?

<돈이 없어도 도전할 수 있습니다.>

이번 챕터에서는 펜션을 하려는 데 돈이 얼마나 필요한지에 대해서 설명하겠습니다.

펜션을 시작하시려는 의지가 있을 때 당연하게도 가진 돈에 따라서 접근 방식이 달라집니다.

우선 '젊음'과 '용기'만 가지고 계신 분을 위한 접근법입니다. 먼저 펜션에서 일해보는 것도 추천해 드립니다. 돈도 벌면서, 산업스파이의 시선으로 잘되는 집의 노하우를 배우실 기회가 될 것입니다.

어느 정도 배움이 쌓였다면 이제 운영에 도전해 보겠습니다. 가장 돈이 적게 드는 방식으로는 헌 집을 싸게 장기 임대하여서, 직접 수리 후 펜션을 운영하시는 분이 있습니다. 젊음이 있는 분들이 하시는 방법입니다. 추가로 내가 집을 수리하는 모습을 유튜브에 올려서 홍보와 동시에 유튜브 수입도 올릴 수 있습니다. 그런 경우 보통 월세는 1년에 총 500만 원을 넘지 않습니다. 장점으로는 그렇게 월세가 낮은 동네에 가면 비슷한 젊은 이주민들이 많이 있어서, 젊은 사람들의 네트워크가 형성되기 쉽습니다.

아쉽게도 이런 물건은 부동산에도 거의 없습니다. 동네에서 수소문 해보는 것이 더 빠릅니다.

연세 기간은 보통 5년 이상 최대 10년 정도로 하여야 수리비를 투자하는 것이 아깝지 않겠죠. 이때 중요한 것이 바로 고치는 사람의 수리 역량이 될 텐데요. 당연히 자신이 수리할 수 있는 항목이 많을수록 돈을 아낄 수 있습니다. 대체로 쉽게 할 수 있는 것이 청소, 철거, 페인트칠 정도가 있습니다. 손재주가 있는 사람이 그 외의 공정을 혹여 유튜브를 통해 배워가면서 한다면, 10평 정도까지는 혼자서 어떻게든 끝낼 수 있는 크기라고 생각합니다. 그 이상의 크기라면 셀프는 체력적으로 힘이 듭니다. 하지만 작업을 하는 사람이 두 명 이상이 되면 능률이 확 늘게 됩니다. 그래서 비슷한 사람들의 네트워크가 형성되어 있는 것이 굉장히 중요합니다. 나중을 위해 계약서를 쓸 때, 주인에게 미리 전대차를 허락받아 두는 것이 좋습니다. 고쳐놓고 사정이 생겨서 직접 영업을 못하게 되는 경우가 생길수도 있기 때문입니다. (전대차: 임차로 빌린 집을 다시 다른 세입자에게 빌려주는 것을 말합니다. 집주인의 허락이 반드시 필요합니다.)

그다음 단계로 돈이 적게 드는 방법은 좀 더 시설이 되어 있고 현재 펜션으로 운영 중인 혹은 과거에 운영했었던 펜션을 임대하는 방법입니다. 그 전 펜션의 후기를 이어서 할 수도 있고, 사용하던 물품을 이어서 사용하실 수도 있습니다. 객실이 2~3개이면서 금액은 보통 2000~2000에서 3000~3000 정도가 가장 많이 나갑니다. 재임대를 주는 임차인이 권리금을 주장하는 때도 가끔 있습니다.

이제 매매로 넘어가 보겠습니다. 매매 시 대출을 활용하는 것도 방법입니다. 대출은 토지를 사는 경우와 집을 사는 경우 모두 대출이 나옵니다. 이자를 감당할 수 있다면 대출을 활용하여서 효율을 높일 수 있습니다. 직장인이 대출 없이 내가 돈을 모으는 속도가 인플레이션의 속도를 이기지 못할 확률은 99.9%입니다. 또 살면서 목돈이 생길 일은 거의 없습니다.

대출하실 때 본인의 주거래 은행이 별 의미가 없을 때가 많습니다. 저는 자주 거래하는 농협 서귀포 본점에서 대출을 진행합니다. 정상적인 거래라면 대략 매매가의 50%~60% 정도가 대출됩니다. 이렇게 매매로 진행을 한다면 가장 신경 쓰셔야 할 것은 환금성입니다. 사람들이 아파트를 선호하는 이유도 뛰어난 환금성에 있습니다. 펜션의 경우에도 대출이 용이하고, 금액이 크지 않고, 수익률이 나오면 환금성이 뛰어납니다. 작고 알찬 상가의 거래가 빠르듯 펜션도 작고 알찬 것을 선택하면 환금성에서는 걱정하지 않으셔도 됩니다.

2억 후반에서 3억 대라면 단독주택의 형태가 될 것입니다. 5~6억 대라면 마당에 안거리밖거리 형식의 2동, 또는 별도 출입문이 있는 객실이 2개에서 3개 정도 있는 주택의 형태가 될 것입니다. 네이버에서 검색이 되고, 후기가 쌓여 있고, 영업이 잘되면 나중에 되팔지 못해 겪는 어려움이 생기지 않을 것입니다.

5~6억 대인데 독채인 경우는 바닷가 마을인 경우에만 추천해 드리고, 그 외에 중산간에 있는 규모가 큰 독채는 추천해 드리지 않습니다. 중산간에서는 독채보다 안거리 밖거리 형태의 두동 으로 된 경우를 선택해서 가성비로 경쟁하는 것이 유리합니다.

2023년 기준 환금성이 높은 펜션으로 2억 후반~ 6억 대까지의 펜션을 특정한 이유는 은퇴자들이 대도시에 있는 아파트를 팔아서 펜션을 사고 나머지는 운전자금으로 확보해 둘 수 있는 가격이기 때문입니다. 실무에서 가장 거래가 잘 되는 분들도 이렇게 미리 은퇴 계획을 세워두신 분들입니다. 이미 제주도에 대해서 잘 알고 계시기 때문에 영업에 대한 걱정을 줄여 줄 수 있는 양호한 물건이 있으면 빠른 결정을 하실 수 있습니다.

더 높은 가격대의 물건이 있다면 철저하게 토지 위주로만 생각하셔서 접근하셔야 합니다. 정말 좋은 입지의 물건이거나 대지가 크고 분할하기가 좋은 물건이라면 되팔 수 있지만, 건물 자체의 가치가 높으면서 분할하기 힘들다면, 시간이 지나 건물의 가치가 떨어질 경우 되팔기 힘듭니다.

입지가 좋은 물건이라면 경기가 좋을 때 잘팔리니 문제가 없고 분할하기 좋은 모양이라면 건물의 가치가 떨어지더라도 토지의 가치가 있어서 가격이 잘 방어가 되거나 상승할 수 있습니다. 잘 고르셔서 운영 수익과 되팔 때 차익까지 보실 수 있기를 바랍니다. 혹은 자손에게 잘 전달되어 큰 힘이 될 수 있습니다.

이번 챕터에서 제가 얘기하고자 하는 포인트인 환금성만 기억 하신다면 책값은 뽑았다고 볼 수 있습니다.

다른 상업시설보다 펜션이 쉬운 이유

<입지로부터의 자유로움>

상업시설을 할 때는 입지가 매우 중요합니다. 입지를 뛰어넘는 경우는 단 한 가지입니다. 손님들이 찾아올 만큼 맛이 뛰어나야 합니다. 제주도에서도 많이 보지는 못했습니다. 정말 위치가 안 좋은데 손님이 찾아오는 가게 중에서 지금 생각나는 곳은 한 군데 정도 꼽을 수 있을 것 같습니다. 물론 찾아오기 힘든 곳에 있으나 비경을 품고 있다면 달라지겠지만 제가 생각하는 이곳은 주변에 관광지가 있는 곳이 아닙니다.

그런데 이 가게의 위치가 펜션의 입지라고 생각하면 나쁘지 않습니다. 그만큼 펜션의 입지는 상업시설의 입지보다 훨씬 낮은 요구치를 가지고 있다고 생각하시면 됩니다. 그 말은 전략적으로 땅값이 낮은 곳에 펜션을 만든다면 생각보다 낮은 돈으로 가능하다는 뜻입니다. 그만큼의 투자 대비 수익이 높게 운영할 수 있습니다.

다만 주의하실 점은 입지가 좋지 않을 때는 규모가 너무 크지 않게 하셔야 합니다. 수익률 좋고 가격이 높지 않은 펜션은 언제든지 빠르게 거래할 수 있기 때문입니다. 빠르게 투자금을 회수하는 것이 장점인데, 매매 금액이 커진다면 투자금 회수를 빠르게 할 수 없기 때문에 투자매력도가 떨어집니다. 투자하는 입장에서는 투자금이 빠르게 회수되지 않는다면 입지가 좋은 곳을 선택하는 것이 장기적으로 더 안전하기 때문입니다.

경쟁력이 뛰어난 음식이나 서비스를 제공할 능력이 없다면 기본에 충실한 펜션으로 안전하게 수익을 추구하시며, 제주 입도의 기반을 닦으시길 바랍니다.

혹시 정말 맛있는 음식을 하실 수 있는 분은 제발~ 제 펜션 근처에 가게를 차려주세요! 감사합니다.

추신 : 현재 상권은 온라인으로 개편되면서 입지론이 붕괴되어 가고 있습니다. 특별한 체험을 줄 수 있는 공간이 아니라면,

사람들은 이커머스를 이용한 전자상거래 비대면 소비를 선호합니다. 은퇴 이후 상가를 사고 상가에서 나오는 세를 받아서 노후를 보내려는 계획은 정말로 신중해야 한다는 뜻입니다.

전세시장이 월세시장으로 바뀌고 있습니다. 느리지만 거스를 수 없는 추세입니다. 그로 인해 앞으로 주거시설이 상가 못지 않은 수익률을 주는 날이 올거라고 생각합니다.

주거이면서 상가인 이 하이브리드(Hybrid · 혼종) 즉, 펜션은 위기 때마다 모양을 바꿔가며 생존할 수 있을거라고 생각합니다.

4. 작가의 제주 정착 이야기

작가 이야기

<남국으로 가는 길>

어느 날 친한 형의 전화를 받았습니다. 제주도에 땅을 사려고 하는데, 같이 살 생각이 있냐는 전화였습니다. 그 당시 저는 이 책을 읽으시는 독자님들과 같이 많은 정보를 가지지 못한 상태였습니다. 제주도를 몇 번 여행한 정도의 정보만 가지고 있었습니다. 하지만 제주도에 내 땅이라는 말에 설레이기 시작한 저는 "일단 생각이 있다. 돈이 가능한지 확인해보겠다"는 말과 함께 전화를 끊었습니다.

땅은 평당 60만원 대이고 2차선 도로에서 직선거리로 130m 정도 들어가 있습니다. 금능 협재 해수욕장에서는 차로 15분 가량 걸리는 곳입니다. 유튜브에서 나오는 2000만원 짜리 시골집 같은 것을 떠올리던 저는 마음만 먹으면 바닷가에 있는 소박한 돌집을 살 수 있을 줄 알았습니다. 현실로 다가온 제주 땅값은 그 정도로 만만하지는 않았습니다. 전체 금액은 2억6천만원이고, 먼저 제일 큰형인 농협이 1억원 정도를 대출해주셨고, 나머지 1억6천만원의 금액을 3명이서 나누어서 지불하였습니다.

그렇게 제주도에 내 땅을 갖게 되었습니다. 경우에 따라 이미 분할된 땅을 살 수도 있고, 혹은 나중에 분할하기로 약속을 하고 살 수 있습니다. 나중에 분할하기로 한 경우에는 반드시 '분할도'를 그려서 어디부터 어디까지가 각자의 땅인지를 약속해놔야 합니다. 등기부등본 상에는 '공유자 지분 2분의 1 정◇◇'처럼 글자로만 적히고 어디부터 어디까지가 내 땅인지는 적히지 않기 때문입니다. 분할도는 건축사사무소에 요청하면 10만원 정도에 그릴 수 있습니다.

대량 묶음 상품의 개별 단가가 싼 것과 같은 이치로 큰 땅은 평당 단가가 쌉니다. 그래서 땅을 살 때 지인과 같이 큰 땅을 사서 나누면 더 싸게 사실 수 있습니다. 반대로 제주도의 오시는 분들은 대부분 집을 지을 수 있는 150평 내외 땅을 원하기에 소형평수가 가장 비쌉니다.

같은 생각을 하는 지인분들이 있다면, 큰 땅을 공략하여서 싸게 사시길 바랍니다. 모든 개발행위를 할 때 지인분들과 같이 하면 무조건 돈을 아낄 수 있습니다. 또 신축집이 들어선 장소에는 다른 외지인들도 들어오고 싶어합니다. 집을 짓고 나면 기반시설이 갖춰진 땅이라는 인식을 주고 이웃도 있기에 땅 가격도 오릅니다.

작가 이야기

<토지 공동매수 및 분할 합의서 (예시)>

본 합의서는 제주시 00면 00리 000의 공동매수 및 분할에 관한 합의서이다.

공동매수인은 (A)김◇◇, (B)고◇◇, (C)정◇◇ 이며 각 해당되는 토지 및 인적사항은 아래와 같다.

(A) 김◇◇ 주민등록번호 3번토지
(B) 고◇◇ 주민등록번호 1번토지
(C) 정◇◇ 주민등록번호 2번토지

1조 (A),(B),(C) 은 제주시 ◇◇면 ◇◇리 ◇◇ 토지를 공동 매수 한 뒤 각각 분할하는 것에 동의한다.

2조 (A),(B),(C) 중 최초의 건축자가 급수 공사 시, 실비용을 공동 부담한다.

3조 2조의 공동 부담을 위해 배관의 규격과 시공은 세 가구가 사용 가능한 방법으로 한다.

4조 각 토지의 경계표시 작업(돌담)은 토지 경계의 소유주간 공동 부담한다.

5조. 각각의 배정된 토지는 차후 등기 분할 시 절대 이의를 제기할 수 없다.

6조. 토지분할시 발생되는 비용은 공동 부담한다.

7조. 토지 분할시 2번, 3번 토지의 도로로 사용되는 부분은 2번, 3번 토지의 형평성과 도로 접근을 위한 추가 면적으로 한다

8조 위 조건으로 분할이 적용되기 전에 본 토지를 제3자에게 매도 및 양도, 상속 할 시 새로운 매수인에게 위 내용을 그대로 위임하고 지켜질 수 있게 한다 (상기 사항대로 위임하지 않아 발생되거나 발생될 수 있는 비용 및 각종 분쟁은 매도자가 책임지도록 한다.)

9조 기타 공동의 이익 및 유지 수선을 위한 비용은 공동으로 부담한다

첨부서류 : 인감증명서, 토지 가분할도

A) 김◇◇ 제주시 ◇◇면 ◇◇리 123-45 (인)
B) 고◇◇ 제주시 ◇◇면 ◇◇리 123-45 (인)
C) 정◇◇ 제주시 ◇◇면 ◇◇리 123-45 (인)

작가 이야기

<분할도면 (예시)>

형평성을 위하여 노력하였는데, 독수리, 고양이, 너구리가 그려진 부분의 땅 크기는 모두 400㎡로 같습니다.

대신 진입로인 ④번 땅은 고양이에게, ⑤번 땅은 너구리에게 주어서 독수리만 유리하지 않도록 하였습니다.

선호하는 자리는 각자 다르기에 예시는 참고만 해주시기 바랍니다.

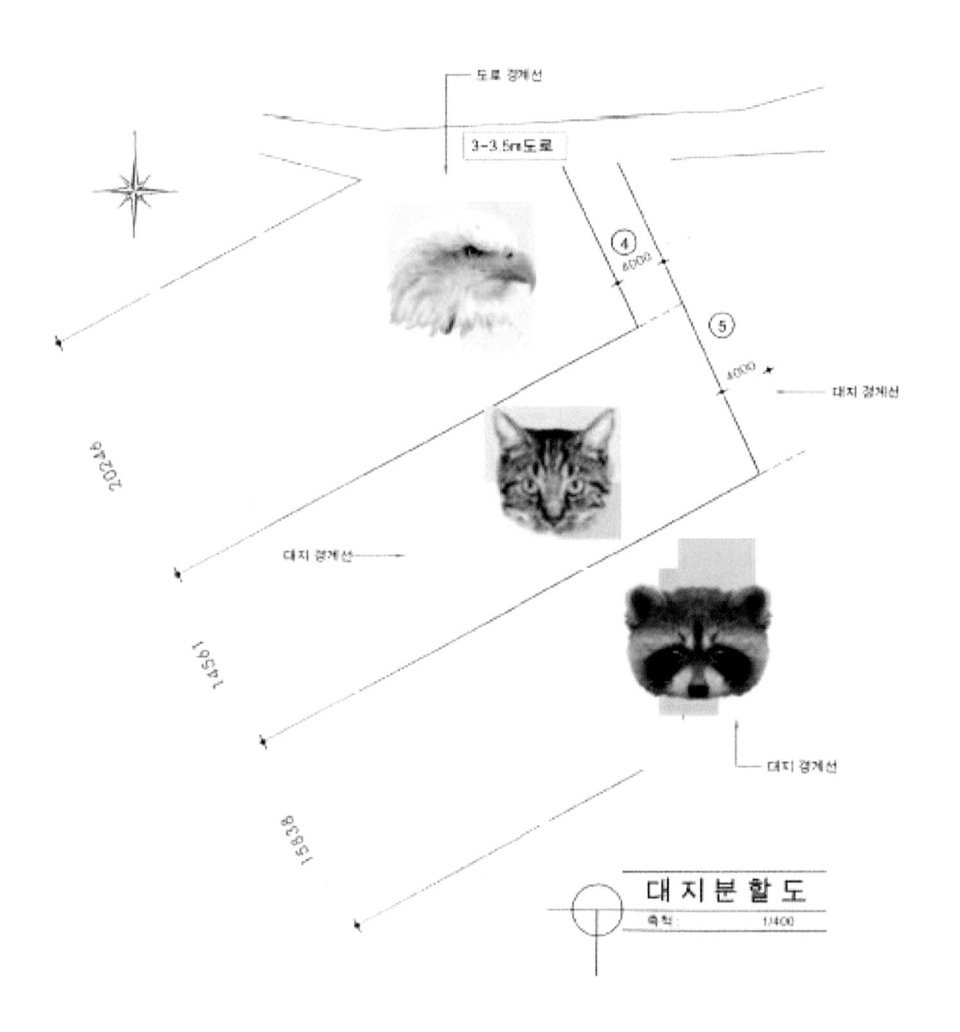

면적개요

(단위:M2)

구 분	면 적	참 고
①	400	
②	400	
③	400	
④	52	진입로부분
⑤	102	진입로부분
합 계	1354	

작가 이야기

<집짓기 상식>

저는 제가 직접 펜션을 지었습니다만, 저를 인도해 준 펜션 선배 형의 도움이 절대적이었습니다. 하지만 시작하기 전 아무것도 모르는 채로 집을 지을 수는 없다고 생각했습니다. 우선 집 짓는 지식을 공유하는 다음카페에서 집 짓는 절차에 대한 유료 수업을 들었습니다.

수업에서 배운 가장 중요한 것은 철근콘크리트로 만든 집이 무조건 최고는 아니라는 것입니다. 철근콘크리트 집이 튼튼하다는 것은 상식이지만, 단점은 건축비가 비싸다는 것입니다.

1. 물질은 무거울수록 소음을 잘 막아줍니다. 외부소음 혹은 빗소리 등에서 완전히 조용하려면 철근콘크리트 벽체에 무거운 스페니쉬 기와 등을 올리면 외부 소음에는 가장 강한 집이 됩니다.

2. 2층 이상의 집에서는 층간소음이 발생합니다. 하지만 단층은 층간소음이 없기에 철근콘크리트가 아니어도 괜찮습니다. 다

만 1에서 설명한 대로 외부 소리와 빗소리 차단은 골조가 무거운 집일수록 유리합니다. 하지만 아무리 철근콘크리트 집이라도 샤시나 문의 시공이 미흡하거나 등급이 낮으면 창이나 문으로 소음이 들어올 수 있습니다.

3 단열은 골조가 아닌 단열재(스티로폼)의 역할입니다. 집을 스티로폼으로 둘러싸고 빈틈을 우레탄 폼으로 빈틈없이 채운다면 단열성능은 최고가 됩니다. 거기에 샤시까지 좋다면 꽉 잠긴 보온 텀블러처럼 완전히 단열이 되겠죠. 블록집이 춥다는 말은 단열재를 전혀 시공하지 않았던 70년대 건물에 대한 추억입니다. 단열은 단열재가 하고 빈틈도 단열재인 우레탄 폼으로 막습니다. 한마디로 골조는 단열과 아무런 상관이 없습니다.

4. 공기층이 단열을 하다는 말도 옳지 않습니다. 공기층 단열이 작동하는 것은 이중창 혹은 삼중창의 고급 샤시 제품입니다. 공기가 단열을 하려면 완전 밀폐가 되고 층이 얇아서 대류현상이 일어나지 않고 정체되어 있어야 한다고 합니다. 그래서 보통 국내에서 만드는 2중 3중 유리창의 공기층 간격은 12mm에 가까운 수치로 만들고, 거기에 열전도율이 낮은 아르곤 가스를 넣어서 대류현상을 방지합니다.

5 집이라는 것은 살다 보면 팔아야 할 때도 있습니다. 나만이 느끼는 가치도 중요하지만 시장에서 잘 팔릴 수 있게끔 고려해야 합니다. 집의 구조는 최신 아파트의 도면이 가장 살기에 좋다고 합니다. 나의 라이프 스타일을 적절히 섞어서 구상하면 됩니다. 또 손님이 왔을 때를 대비해서 방을 하나 만드는

것 보다, 완전히 분리되어 있고 화장실이 별도로 있는 집을 만들어 놓는 것이 게스트, 특히 며느리에게 심리적 안정감을 준다고 합니다.

6. 건축에 관련된 법은 점점 까다로워지고 있습니다. 국가에서 허락한 모든 공법은 정석대로 시공하기만 하면 좋은 집이 됩니다. 그래서 시공하는 사람이 가장 중요합니다. 현재 공사중인 현장이 반드시 있고, 돈이 없어서 쩔쩔매는 곳이 아닌 제대로 돌아가는 공사팀을 선택해야 합니다. 즉 무조건 선불 부터 넣으라고 하는 곳이면 정말 돈이 없어서 내가 준 돈으로 문제를 해결하려 할 수도 있습니다. 반대로 건축주가 무조건 싸게 하려고 해서 시공자가 정상적인 방법으로 시공 시 손해가 난다면, 건물의 품질은 떨어질 수 밖에 없습니다. 가장 좋은 방법은 현재 시공을 하고 있는 현장의 건추주를 만나서 시공팀에 대해서 물어보는 것입니다. 자신있는 시공팀이라면 자신의 현장을 공개할 것입니다.

7. 집은 결국 물과 싸우는 것입니다. 결로와 방수가 잘 되는 것이 가장 살기 좋은 집입니다. 경험 많은 시공팀이 가장 자신있어 하는 골조로 짓는 것이 하자 없는 좋은 집이 될 것입니다.

작가 이야기

<부분 셀프 시공을 위한 준비>

저는 골조를 시공할 능력이 되지 않기에 저를 인도해준 형이 주가 되어 골조를 시공해 주었고, 저는 내부의 작업을 하였습니다.

그 준비를 위해 타일과 도배를 가르쳐주는 학원에서 배웠습니다. 셀프로 짓는 것은 정말로 쉽지 않고 공사기간도 좀 더 걸리지만, 큰 의미가 있을 수 있습니다. 셀프로 가능한 것들 몇 가지를 소개해 드립니다.

주변에 배우실 분이 있다면 우선 돌담을 먼저 쌓아보시길 바랍니다. 주택 경계로 많이 하는 겹담(담 두께가 하단 60cm 정도이고 상단은 40cm 정도입니다. 높이는 80~100cm 정도. 돌 사이에 시멘트를 넣어서 강화한 담)을 쌓을 수 있는 분이라면 재능이 있으신 분입니다. (돌담 높이 x 두께 x 길이) 필요한 돌의 양이 나오면 ◇◇㎥ 혹은 루베 주세요. 라고 주문하면 됩니다. 보통 굴삭기 기사님에게 물어보면 돌을 구해주십니다. 그것도 아니면 당근에서 주문할 수 있습니다. 한 번 담을 쌓아보면 잘생긴 돌이 뭔지 알게 되는데 반듯반듯 깍두기 같은 돌들이 작업이 수월하고 담을 쌓으면 면이 예쁘게 나와서 잘생겼다고 합니다. 또 모래와 시멘트가 있어야 하고, 믹서기와 믹싱할 통이 필요합니다. 빌릴 수 있으면 더 좋습니다. 일이 끝나면 공구를 놓을 곳이 없기 때문입니다. 너무 완벽하게 하려는 분들이 보통 끝까지 못 쌓는 것을 보았습니다. 배운다는 마음으로 어느 정도 내려놓고 쌓아야만 완성이 됩니다. 저에게 돌담 쌓은 법을 알려주신 분은 외부의 악한 세력을 막아주고 가족을 지키는 담장을 쌓는다는 주술적인 생각을 하며 쌓으셨습니다. 어쩌면 이 돌담이 저보다 더 오래 서 있을지도 모른다는 생각을 하면 참 이상한 기분이 듭니다. 저도 주술적 의미로 저만의 타임캡슐 같은 물건을 하나 숨겨 놓았습니다.

내부를 직접 꾸미고 싶으신 분은 목공작업을 배우시는 게 정말 큰 도움이 되실 겁니다. 골조가 완성된 후 내부를 '에어타카'와 일명 다루끼라고 불리우는 '각재', '석고보드'로 자유롭게 꾸밀 수 있습니다. 자재 또한 무겁지 않기에 2인1조 가 된다면 해볼만합니다. 석고보드를 다루는 것도 커터칼을 사용하기에 요령만 익힌다면 어렵지 않습니다. 다만 초보자는 커터칼을 쥔 손의 반대쪽 손이 베이지 않도록 주의하셔야 합니다.

목공작업 완성 후에는 퍼티작업을 하게 됩니다. 빠대작업 등으로도 불리는 데 퍼티라 불리는 찰흙 비슷한 것을 평활하게 펴 바르는 무한 반복 작업입니다. 그리고 나면 페인트 칠을 합니다. 퍼티를 하지 않고 페인트칠을 하는 경우도 보았는 데, 품질이 괜찮았습니다.

저는 동생을 불러서 몇 가지 잔일을 부탁했습니다. 동생은 건강하지만 프로그래머이기에 손기술이 전혀 없습니다. 이 쓸모없는 도시노동자에게 장식용 파벽돌을 붙이고 모래를 나르고, 페인트를 칠하는 일을 시켰습니다. 누가 하든 동일하게 시간이 들어가는 일입니다. 꼼꼼하게 해주어 큰 도움이 되었습니다. 오해하지 마셔야 할 것은 전문가의 작업과는 분명한 차이가 있습니다.

저는 제가 작업한 것들을 사진으로 많이 남겨 두었습니다. 다른 사람들이 보았을 때 스토리가 있는 특별한 집으로 보이기를 기대하고 있기 때문입니다. 영상으로 찍어서 순서대로 유튜브에 올려두면 과정 과정이 다른 입문자에게 큰 도움이 될 수도 있습니다.

추억에 관심이 없더라도, 사진을 많이 찍어두면 나중에 하자를 보거나 다른 시공을 할 때 마감재 뒷면의 상황을 알 수 있어서 실제적으로 도움이 됩니다. 많이 찍어두시면 무조건 좋습니다.

집값은 땅값 + (건축비x건축면적)입니다. 대도시보다 싼 것은 땅값 밖에 없습니다. 같은 자재로 짓는 건축비는 대도시와 당연히 동일합니다. 오히려 쓸만한 인력이 부족하거나 물류비가 있어서 더 비싼 경우가 많습니다.

국가에서 인정하는 모든 건축 방법은 국가가 정하는 높은 기준을 통과했기 때문에, 싸게 지을 수 있는 구조가 있다면 그걸 택하시면 됩니다. 사실 저 또한 멋진 2층 건물을 지으려다가 아직 시작 못한 작은 부지가 있습니다. 이제 욕심을 내려놓았고 스마트한 작은 단층 건물을 지으려고 생각을 바꾸었습니다. 2층을 올리는 것은 땅값을 절약하면서 층고를 높혀 효율을 올리려는 것이 목적인데, 땅값이 낮은 지역에서는 건물을 높게 짓는 것이 낭비가 됩니다. 제주시내권 혹은 해수욕장 앞 상업용지인 경우 외에는 그냥 부지를 사서 하나 더 짓는 것이 쌉니다.

지어진 건물을 사서 고치실 때도 역시 사진은 많이 남겨두는 것이 좋습니다. 아파트 같은 공동주택에 살 때는 느낄 수 없는 느낌이 있습니다. 내가 친구들과 셀프로 무언가를 하던 추억 같은 것이 있고, 그 집 역시 나보다 더 오래 서 있을 수도 있습니다. 예전 펜션을 건축할 때 사진들을 출력하여 현재 펜션에 붙여 놓았습니다. 한 분이라도 어떤 특별한 감정을 느끼셨으면 하는 바람에 붙여 놓았는 데, 저도 다른 곳에서 그런 느낌을 받았기 때문입니다. 사진 속에 저 사람은 어떤 사람일지 궁금했고, 멋져 보였습니다. 그 멋진 가게는 장사가 잘되어 다른 곳으로 신축 이전해 갔습니다. 옛날 건물에서 이사 간 크고 멋진 신축에는 아쉽게도 집을 짓는 사진이 없었습니다. 아마 이번에는 돈이 충분해 직접 건축하지 않은 것 같습니다.

건축과 손기술에 대해서 적었지만 굳이 할 줄 몰라도 됩니다. 일을 잘하는 곳을 찾아내서 파트너로 가면 되는 거죠. 할 줄 아는게 많으면 많은 만큼 돈은 아끼지만 몸이 너무 피곤합니다. 게다가 오랜만에 하려고 하면 다 잊어버려 엉망입니다. 수능시험 1년 뒤 갑자기 수능을 보면 점수가 처참하듯 1년 뒤에 다시 하면 결과물도 처참합니다.

셀프 건축 혹은 셀프 시공은 본격적인 펜션 비즈니스로 가기 전에 진입장벽을 낮추기 위한 단계이고, 스토리를 만드는 방편 중 하나입니다. 다음 페이지 부터는 본격적인 펜션이야기로 들어갑니다.

◇◆◇◆◇

5. 제주도 · 제주사람 · 제주부동산

제주 부동산 망한 거 아니야?

<부정편향성>

'제주도 부동산 망했다.', '가격 대 폭락', '역대 폭 하락', 이런 제목을 보시면 역시 안 사길 잘했어~ 반의반 값으로 떨어져야 해! 이런 생각이 드시나요? 인터넷에는 조회 수를 위한 자극적인 제목이 넘쳐납니다. 과연 진실은 어떨까요?

우선 전제 (새로운 판단이나 결론이 도출될 때의 거점이 되는 미리 알려진 판단) 를 수정해야 합니다. 자극적인 기사로 조회 수를 올리기 위한 뻔한 수법들이 계속 재탕 삼탕 되고 있습니다.

부동산은 사람과 다르게 서열이 고정적으로 정해져 있습니다. 물론 서열이라는 것이 상황에 따라 변할 수 있지만, 입지의 서열이 정해져 있습니다. 투자에 관심이 있으신 분들이라면 다들 00동 대장 아파트 같은 말을 들어보신 적 있으실 겁니다.

여러분이 만약 서울 최고 입지에 부동산과 서울이지만 접근성이 많이 떨어지고 높은 언덕 위에 있는 부동산을 가지고 계신다고 상상해 보세요. 나에게 경제적 어려움이 닥쳐서 부동산을 팔아서 문제를 해결한다고 하시면 어떤 부동산을 먼저 팔고 어떤 부동산을 나중에 파실 건가요? 아마도 좋지 않은 것을 먼저 팔아서 문제를 해결하려고 하실 겁니다.

이렇듯이 어려운 상황일수록 옥석 가리기가 중요해집니다. 경제적 위기가 왔을 때, 가장 먼저 흔들리는 것은 가장 좋지 않은 부동산입니다. 서울부동산, 제주부동산이 대폭락했다고 쓰여 있지만, 기사의 내용은 가장 약한 지역의 고리가 끊어진 것을 가지고 서울 또는 제주 전체로 호도하는 내용입니다.

하지만 하락세가 오래 지속된다면 그것은 괜찮은 물건도 매매로 나온다는 신호입니다. 여기서의 '오래'는 몇 달을 얘기하는 것은 아닙니다. 부동산은 주식만큼 탄력적으로 움직이지는 않습니다. 만약 주식만큼 탄력적으로 움직이는 부동산이 있다면 그것은 좋지 않은 물건이 대세상승에 의해 다같이 상승하다가 동력이 끊기는 순간 가장 먼저 주저 앉는 가장 좋지 않은 부동산 물건이라고 보시면 됩니다.

"사업은 비관주의자들이 방치하거나 내버린 것을 낙관주의자들이 줍는 싸움이다. 비관적인 사고를 가진 사람은 새로운 비즈니스를 절대 찾아내지 못한다. 같은 상황을 놓고도 비관적으로 생각하면 해결방법이 없어지고 낙관적으로 보면 길이 보인다. 문제가 생기면 기회도 함께 생긴다. 그러므로 문제가 발생하면 어떤 기회를 잡을까 살펴보는 버릇을 들여야 한다." 김승호- 김밥 파는 CEO에서

불경기 때에는 특히 법인이 가지고 있던 좋은 입지의 물건들이 매매로 나옵니다. 후손들에게 물려줘도 될 정도로 좋은 물건을 사실 기회입니다. 버틸 수 있는 여력만 있다면 좋은 입지의 물건은 다음 상승기 때 큰 자산으로 성장할 수 있습니다. 한국이 망하지만 않는다면 다음 상승기는 반드시 또 옵니다.

문화적 차이와 텃세

<과거 그리고 현재>

제주도와 육지사람들과 문화적인 차이가 있습니다. 제주도는 배수가 잘되는 토지라 논농사가 발달하지 못해 개인주의적 성향이 강합니다. (논농사는 물을 다루기 위해서 공동체가 있어야 할 수 있습니다. 공동체에서 내쳐지면 생존이 위험합니다. 밭농사는 혼자 할 수 있습니다. 해녀 또한 나이가 아닌 물질 실력에 따라 서열이 나뉩니다.) 가장 문화 충격적인 얘기는 과거 안거리(아들과 며느리 거주)와 밖거리(부모 거주)의 상황일 때 집마다 각각 밥을 해먹는다는 것입니다.

대도시에는 립서비스가 많이 발달되어 있습니다. "최선을 다해보겠습니다."는 한번 해보겠습니다.의 대체어입니다. 또 쿠션화법이라는 것을 사용하여 의사를 명확히 표현 하기보다는 완곡하게 "네~ 감사합니다."로 이제 그만 가세요를 대체하기도 합니다. 거기에 치열한 서비스 경쟁으로 인한 서비스 인플레이션으로 "제 책은 15,000원 이세요. 감사합니다." 라고 물건에까지 존대를 합니다. 그래서 그런 문화가 없는 소도시 이하에 가면 어색한 느낌을 받습니다. 특히 표정까지 안 좋은 사람이 직설적으로 얘기한다면, 처음 겪는 사람에게는 충분히 무례하게 보일 수 있습니다. 나에게는 이렇게 불친절하게 얘기하다가 아는 사람을 만나서 자기들끼리 웃으면서 얘기한다면 육지인을 차별하고 있다고 생각하기에 딱 좋습니다. 정말 차별적인 사람도 있겠지만, 그런 사람이 하는 가게는 어차피 사람들의 외면을 받아 오래 못 갑니다. 하지만 대부분은 완곡한 표현에 대한 개념이 없는 현지인을 만난 외지인이 차별로 오해하는 경우가 많습니다.

이어서 텃세에 대해 계속 얘기해보자면, 사실 텃세는 지구 어디에나 존재합니다. 특히 외지인의 접촉이 적은 지역일수록 텃세는 강해집니다. 외지인이 많이 유입된 현재 제주도는 텃세가 많이 희석되었다는 뜻입니다. 도시지역은 텃세가 없고, 읍면지역에도 이미 외지출신인 사람이 '청년회장'이 된 지역도 있습니다. 청년회장이 뭐 대수냐 생각 하실수 있지만, 미래의 이장이 되기 위한 엘리트 코스입니다. 마을 비즈니스에서 힘든일을 많이 하지만 발언권도 무시 못합니다.

텃세가 없다고 해도 몇 가지 상황에서 도민이 유리한 경우는 분명 발생합니다. 정정당당을 추구하는 스포츠경기도 홈그라운드에서는 먹고 들어가는 것처럼 완벽하게 동등한 것에 애초에 불가능한 일입니다. 지인이 많아서 필연적으로 그런것이라고 생각하시면 마음이 좀 편해지실 듯합니다. 우리가 잘 느끼지 못할 뿐, 누구나 고향에 가면 어느 정도 먹고 들어가는 게 있습니다.

제가 만나 본 도민들의 특징은 할머니들은 에둘러 말할 줄 모르시고, 굉장히 독립적이십니다. 항상 부지런히 일하고 계시고, 필요한 얘기만 하시기에 무섭게 느껴지는 분들이 많습니다. 반대로 할아버지들은 주변을 왔다 갔다 하면서 항상 말을 걸고 싶어하십니다. 한번 말을 들어주면 2시간 정도는 각오하셔야 하기 때문에, 한번 더 생각해보시는 것이 좋습니다.

물론 시간이 되시면 할아버지의 정신 건강을 위해서 들어주셔도 됩니다. 노을이 지고 있을 때 오셔서 어두컴컴 해질때까지 저를 안 놓아주신 할아버지가 계십니다. 기억나는 건 태풍, 큰물 등 자연재해가 있었다는 얘기입니다. 건물이 많이 없던 시절에는 태풍의 움직임이 훤히 보였다는 얘기가 정말 신기하였습니다. 제주도에서는 시야를 막는 것이 많지 않아서 하늘을 많이 본다고 생각했었는데, 집이 더 없던 시절에는 정말 잘 보였겠네요.

제주도 지역민들은 보수적인 분들이 많다고들 합니다. (보수적이라는 말이 정치적인 의미가 아님을 먼저 밝힙니다. 국어사전상의 의미는 명사로 새로운 것이나 변화를 적극적으로 받아들이기보다는 전통적인 것을 옹호하면 유지하려 함.) 적극적으로 일자리를 찾아 대도시로 건너가신 분들이 빠져나갔으니 당연히 보수적인 분들이 남으신거죠. 제 주변에서도 제주도에서 살고 싶어하시는 분들도 있고, 나는 절대로 못산다는 분들도 있습니다. 그 중에서도 제주도로 내려오시는 분들이 있고, 마음 속에만 그리시는 분들이 있는거죠.

육지에서 굳이 제주도까지 내려온 자유로운 영혼의 이주민들과 대도시로 가지 않고 남아있는 보수적인 원주민과는 기질이 안 맞을 수밖에 없습니다. 이제는 제주도가 발전하여 돈벌이가 생기니, 대도시에서 다시 귀향하신 분들도 생기고, 타지살이 경험이 없는 분은 거의 없습니다. 외지인들을 수용한 지역과 아닌 지역은 체감할 수 있을 정도로 발전의 격차가 생겼습니다. 덕분에 자성의 목소리도 생겨서 외지인을 배척하는 분들은 거의 없어졌습니다.

제주에서 펜션으로 먹고사는 문제도 해결하고, 라이프도 챙기면서 멋지게도 사실 수 있습니다. 카페나 어플에 동호회나 취미, 배움 등이 넘쳐납니다. 멋진 제주 라이프를 응원합니다!

Bravo My Life!

제주도의 기후

<한라산의 역할>

제주도에 살면 너무 덥지 않을까 하는 생각을 하는 분도 많으실 것 같습니다. 그런데 사실 여름에 기온은 서울이나 제주도나 큰 차이가 없습니다. 봄, 가을, 겨울이 더 따듯한 것이죠. 단군 할아버지가 부동산 사무실에 속아서 터를 잡았다는 한반도. 그 중앙인 서울에 살 때는 무지 더운 여름과 무지 추운 겨울의 '대륙성기후'이고 제주도는 연중 온난한 '해양성기후'의 특색으로 연교차가 크지 않은 것이 장점입니다. 그런데 사계절이 뚜렷한 것이 정말 장점 맞습니까?

제주도에서 고도가 너무 높지 않은 곳에 사시는 경우 겨울에 땅이 얼지 않습니다. 즉 동파가 없습니다. 겨울에 집 좀 비워두었다고 난리가 나지 않고, 마당에 수도꼭지도 동파방지를 하지 않습니다. 경험상 땅이 좀 언다고 생각되는 지점은 해발 300m 이상 지역인 것 같습니다. 해발 높이를 어떻게 아냐고요? 구글에서 '구글어스'를 검색해 주소지에 마우스 포인터를 갖다 대면 오른쪽 아래에 해발고도가 나옵니다. 제주에 살다 보면 나무만 봐도 대략 느낌이 옵니다. 잎이 넓적하고 두꺼운 나무들이 있는 곳과 서울, 경기에서 많이 본 나무들이 사는 곳은 해발고도가 300m 가 넘어가는 것입니다. 300m가 넘어가는 곳은 제주도라 해도 추워서 야자수를 키울 수 없습니다.

나무농사를 하시는 분들은 제주도에서는 겨울에도 나무가 자라기 때문에 육지에서 키우는 것보다 나무가 훨씬 빨리 자란다고 합니다. 본격적인 겨울은 1월달 입니다. 12월 까지는 해양스포츠도 많이 합니다. 그렇다면 제주도 내에서도 더 따뜻한 곳이 있을까요? 답은 '그렇다'입니다. 서귀포시가 제주시보다 따뜻한 데, 그 중 남원읍이 가장 따뜻하다고들 합니다만 남쪽이라서 이기도 하지만, 한라산이라는 거대한 산이 겨울 북서풍을 막아주기 때문입니다.

겨울에는 귀가 떨어질 듯 춥고, 여름에는 탈진이 되는 화끈한 K 날씨의 매운맛 대신, 온난한 곳에서 돈도 벌면서 사는 독자님의 꿈을 응원합니다.

이 무너진 돌집이 이렇게 비싸다고요?

<가격의 기준은 뭐지?>

아파트는 네이버에서 시세를 쉽게 알 수 있습니다. 토지나 주택은 기준이 되는 정보가 없기에 비싼지 싼지 도무지 감이 오지 않아서 결정을 내릴 수가 없습니다. 그렇기에 사람들은 눈으로 가장 잘 보이는 건물의 상태로 가격을 가늠해 보려고 합니다.

하지만 집값이라는 것을 분해하면

①땅값 + ②건축물 값 = 집값 입니다.

가령 인구가 소멸해가는 어느 동네의 헌집과 사계절 꾸준히 관광객이 많은 제주 해수욕장 근처의 돌벽 잔해의 공통점은 ②건축물 값이 '제로'라는 것입니다. 돌벽을 살리는 것도 돈이 많이 들기에 제로로 취급합니다.

차이점은 ①땅값입니다.

더 쉽게 설명하자면 서울에 있는 최고급 아파트를 공기 좋고 조용한 곳으로 그대로 떠다가 옮긴다면 아파트 가격은 (역세권 + 상권 + 직주근접 + 초품아 + @) 를 뺀 순수 건축물 가격만 남게 됩니다.

건물은 여전히 최고급이지만 별장이 아닌, 거주지로 살고 싶어하는 분의 수요는 아마 거의 없을 것입니다. 그렇기에 같은 건축물도 입지가 달라진다면 가격은 완전히 달라집니다.

부동산은 첫째도 입지! 둘째도 입지! 셋째도 입지! 라는 말이 있습니다. 입지의 사전적 의미는 '인간이 경제 활동을 하기 위하여 선택하는 장소'입니다. 즉 경제활동에 얼마나 유리한가에 따라 입지가 좋고 나쁨을 판단한다는 것입니다.

관광객이 많이 다니는 해수욕장 근처에선 펜션을 짓거나 카페, 식당 등을 운영하여 경제활동을 할 수 있지만, 인구가 소멸해가는 동네에서는 오직 나만을 위한 건축물이 됩니다. 낭만적인 생활을 할 수는 있지만, 경제적 이득을 결코 얻을 수 없습니다.

가격적인 기준을 제시하기가 매우 조심스럽습니다만, 제 책의 차별점 중 하나라고 생각하고 쓰겠습니다. 사람들이 가장 희망하는 해수욕장이 있는 곳에 위치한 마을 안 땅이면 3.3m2 당 보통 300만원 이상입니다. 거기에 바다가 보인다면 700만원 이상, 해수욕장 바다가 보이면 1000만원 이상, 상업지역이면 2000만원 이상이지만 그 마저도 파는 사람이 없어서 구하기 쉽지 않습니다.

그런데 집터가 보통 330m2(100평) 이상은 되다보니 과거에 집이었던 돌벽잔해의 가격이 어처구니 없게 3억부터 시작입니다.

거기에 요즘 상승한 건축비를 고급 자재를 사용해서 33.m2당 1000만원 짜리 건축을 한다면 30평에 3억 총 6억이 들어가네요.

혹시 입에 침이 고이는 대신 욕이 고이시는지요?

하지만 시장에서 형성되는 가격은 다 이유가 있습니다. 절대로 시장이나 다른 사람을 멍청이로 생각하여서는 안됩니다. 저 또한 예전에는 비싼 무언가를 사는 사람들을 돈만 많은 멍청이들이라고 생각했었습니다. 하지만 6억은 남들에게도 큰 돈이고 6억을 모을 수 있는 사람을 결코 바보가 아닙니다. 오히려 돈이 있는 만큼 시야가 넓은 사람입니다.

해수욕장 바로 앞에 펜션을 가질 수 있다면, 대대손손 영업이 가능합니다. 건물이 낡으면 건물을 새로 지으면 됩니다. 토지가격도 계속 상승합니다. 언제까지 오르냐고요? 상권이 꽉차서 더 이상 제주도 같지 않을 때까지 오릅니다.

그다음은요? 네~ 젠트리피케이션이 일어나고, 더 가격이 낮은 지역으로 불이 옮아 붙어 그곳의 가격도 상승합니다.

네~ 맞습니다! 작동 방식이 대도시와 다르지 않습니다. 그게 부동산의 작동 방식입니다.

바닷가 바로 앞 펜션 ?

<모두가 원하는 꿈>

아파트 담벼락 보다는 바달 볼 수 있는 창문이 좋아요 - 제주도의 푸른 밤 중

제주도에 가면 바다를 볼 수 있는 집을 구하는 것이 만만치 않습니다. 서울의 한강뷰 같은 프리미엄이 형성되어 있습니다. 또 그 바다가 해수욕장 바다라면 더욱 더 귀한 몸입니다.

절대 만만한 가격이 아닙니다. 해수욕장이 제대로 보이는 위치라면 3.3m2 당 주거지 1000만원 상업지역 2000만원이 넘습니다. 해수욕장이 보이지 않고 도보로 갈 수 있는 마을 안은 해수욕장과의 거리에 따라 평당 300만원부터 시작됩니다. 너무 비싸진 땅 가격 탓에 해수욕장 바로 앞에 집을 짓고 사는 것은 정말 꿈만 같은 일이 되었습니다. 바닷가 앞이 아니면 펜션 장사가 안되는 거 아닌가? 하는 생각을 하는 분들을 위해 이번 챕터를 씁니다.

결론부터 얘기하면 바닷가 앞이 아니여도 펜션을 하는데는 아무런 문제가 없습니다. 축사 근처나 너무 외진 곳이 아니라

면 펜션을 하는 데에는 문제가 없습니다. 여기부터 개념을 잘 이해하셔야 합니다. 평당 70만원 이하의 집짓기 좋은 땅과 평당 1000만원의 해수욕장이 바로 보이는 땅에 투자할 때는 접근부터 다르게 가야 합니다. 평당 1000만원 짜리 땅을 사서 펜션운영을 하신다면 원금회수가 쉽지는 않을 것이고, 대출을 일으켰다면 이자 갚기도 만만치 않을 것입니다. 반대로 70만원 이하로 사신 땅은 수익률 면에서 아주 뛰어납니다.

펜션이 아무리 입지가 좋아도 손님들이 받아들일 수 있는 단가가 있습니다. 더 비싸게 객실 요금을 받기 위해서는 입지 + 시설이 있어야 한다는 뜻입니다. 입지가 부족해도 시설이 좋다면 요금을 더 비싸게 받아도 손님들이 받아들일 수 있지만, 입지가 뛰어나도 시설이 부족하면 손님들은 거부감을 느낄 수 있습니다.

앞서 설명한 비즈니스 마인드로 귀결되어 설명드리겠습니다. 비싼 땅은 유지할 능력이 되시는 분이 사셔야 합니다. 그래야 버틸 수 있습니다. 수익률은 떨어집니다. 다만 여태까지도 그래왔고, 앞으로도 바닷가 앞 토지가 더 가파르게 상승합니다. 이것은 2022년까지의 전국 상승장에서 비싼 지역이 더 많이 상승한 것과 동일합니다. 서울에서도 강남과 강북의 격차는 점점 커집니다. 비싼 입지의 펜션은 철저하게 시세차익형 투자로 가셔야 합니다.

70만원 이하의 땅에서 펜션을 하시려는 분은 반대로 수익형 투자로 가야 합니다. 객관적으로 입지가 너무 떨어진다면 시설투자를 너무 많이 하시지 않으셔야 합니다. 아무리 수익형 투자라 해도 언제가는 되팔고 시세차익을 얻어야 할 수도 있기 때문입니다. 너무 많은 시설투자는 구매 가능한 수요층을 감소시키기 때문입니다.

휴가철에만 여행을 가실 수 있는 분들이 있습니다. 아이들이 학교를 다니고, 부부가 각각 회사에서 일을 하시는 분들은 여행을 가기 위해 날짜를 맞추는 것이 쉽지 않습니다. 그러다 보니 휴가철에 바닷가 앞 펜션에서 해수욕을 하고, 먹고 놀다가 오는 여행을 하시게 됩니다. 1년에 한번 혹은 2번 정도 여행을 갈 수 있기에 비싸고, 번잡하더라도 가십니다.

그러나 시간적으로 좀 더 자유로운 분들은 곶자왈에서 반딧불 체험도 하고, 귤따기 체험도 하고, 해녀학교에서 물질을 배우고, 돌담 쌓는 수업도 하는 등 체험위주로 가시게 됩니다.

자전거로 해안도로를 일주하시려는 분도 있고, 정말 다양한 니즈가 있습니다. 이런 분들은 자주 가시는 만큼 조금 더 저렴한 객실을 찾으십니다. 또 이곳저곳 많이 다니시기에 단골이 될 확률도 높습니다. 동쪽 갈때는 여기 가면 안심이다. 서쪽은 여기 이런식으로 지정하시고 이런 분들 주변에는 제주여행 갈 때 의견을 문의하는 지인들도 있기에 재소개도 많이 됩니다.

이에 맞게끔 숙소의 형태도 매우 다양할 수 있습니다. 바다 앞에만 장사가 되는 것은 아니냐 하시는 분은 시장조사가 부족한 것입니다.

해수욕장 인근 펜션과 일반 지역 펜션의 투자전략

입지	해수욕장 인근 펜션	일반지역 펜션
장점	상승장에 시세상승	높은 수익률
단점보완	적당한 크기	시설과잉 투자금지
투자전략	시세차익형	수익형
주의점	초기 투자금이 커서 투자금 회수 오래걸림	언제든 쉽게 팔수 있게 (토지합병, 시설과잉 금지)

입지가 좋지 않을때는

< 완벽해지기보다는 뾰족하게>

펜션의 어떤 단점 때문에 문의만 하고 끊으시는 분들이 있습니다. 예를 들어 문의 전화를 받았는데 손님이 “바다가 보이나요? 안보인다고요? 네 알겠습니다. 다음에 다시 전화 드릴께요~”라는 전화를 받습니다. 그런데 이런 전화를 한 달에 3번 정도 받았다면 마음속에 이상한 균열 같은 게 생깁니다. 우리 펜션의 위치가 안 좋은 것 같은데 괜찮은걸까?

하지만 너무나 평화로운 곳에서 최고의 시간을 보냈다고 감사하다고 후기를 써주시는 손님들도 있습니다. 내가 가진 약점을 확실히 아는 것은 매우 중요합니다. 이것이 약점이라는 생각도 분명히 옳습니다. 하지만 다른 장점이 있기에 그것을 강화해서 손님을 데려오겠다는 생각 또한 옳습니다. 제주관광공사에서 운영하는 비짓제주라는 사이트에 들어가보면 숲길, 오름, 트레킹, 애견, 수국, 억새, 미술관, 어린이, 오일시장 등 수없이 많은 종류의 테마가 정리되어 있습니다. 그만큼 다양한 방식으로 즐기려는 수요가 실제로 있다는 뜻입니다.

한국은 유행하는 것은 다 해봐야 하는 문화가 있습니다. 그래야 남들에게 뒤처지지 않고 잘 사는 듯한 느낌을 받습니다. 이상한 현상을 실제로 보았습니다. 자동차 유리창을 내리고 싶지도 않을 만큼 밖은 뜨거운 날인데, 사람들이 길에 한 줄로 10m 정도 서 있습니다. 커플 혹은 여자 두세명으로 이루어진 그룹들이 손풍기를 들고 서서 지루함과 더위를 쫓으며 기다리고 있습니다. 줄의 맨 앞은 가게 입구로 들어가 있고, 입구를 지나면 테이크아웃에 성공한 손님들이 입구 옆 캐릭터가 그려진 벽화 앞에서 캐릭터가 그려진 쇼핑백을 들고서 인증샷을 찍고 있습니다. 다음 인증샷을 찍을 그룹은 얼굴과 옷매무새를 다듬고 있습니다. 사진을 찍기 위해서 옷도 신경 써서 입은 것이 분명합니다. 사진을 찍는 분마저도 최선을 다해서 사진을 찍어주고 계십니다.

거기에 줄 서신 모든 분들은 캐릭터가 그려진 벽화 앞에서 캐릭터가 그려진 쇼핑백을 들고사진 찍기 위해서, 또 그 사진을 인스타에 업로드 하고, 최종적으로 친구들에게 ♥좋아요를 받고 '나도 여기 갔었다'라는 걸 남기기 위해서 오신 겁니다. 내가 체험하기 위해서 왔지만, 내가 체험한 것을 다른 사람들도 알고 공감해주기를 원합니다.

그렇다면 우리는 주변에는 어떤 체험이 있고 무엇을 꾸며서 제공할 수 있을까요?

제주다운 펜션이 성공한다.

<여행자의 눈으로 보기>

서울 태생이던 제가 처음 보았던 제주도의 느낌은 '이국적이다' 라는 말로 표현할 수 있겠습니다. 파란 하늘과 겨울옷을 입고 있는 나를 측은하게 바라보던 녹색 야자수 나무 아래 돌하르방의 웃음. 그 당시에는 그냥 큰 귤인줄 알았던 커다랗고 노란 하귤이 열린 나무와 돌담이 정말 이국적이었습니다. 지금도 제주도에 오시는 분들은 저와 같은 느낌을 받으십니다.

제주도에서 펜션을 하면서 알게 된 재미있는 사실이 있습니다. 우선은 외지인들이 성공할 확률이 훠얼씬 높다는 사실입니다. 도민들과 대화를 하다보니 그 이유에 대해서 하나씩 알기 시작했는데 꼭 아셔야 할 것 같아서 씁니다.

외지인은 제주스러운 혹은 이국적인 것을 선호합니다. 반대로 도민들은 대도시 느낌의 것을 좋아합니다. 중요한 것은 제주도로 관광을 오신 분이 대도시 느낌을 느끼려 했다면, 굳이 제주도로 놀러오지 않고, 서울 혹은 부산에서 호캉스를 하면서 대형몰을 체험하고 사람들이 많은 거리를 다녔을 것입니다. 대도시에서 살다가 놀러온 외지인들이 대도시에 흔하게 있는 건물을 보면 어떤 감흥을 느낄까요? 그냥 아무 생각이 없습니다. 외지에서 오신 분들은 대충 찍었도 제주 감성 넘치는 사진을 찍을 수 있는 곳을 가고 싶어합니다.

파리의 에펠탑, 런던의 빅벤, 뉴욕의 자유의 여신상등을 랜드마크라고 부릅니다. 랜드마크는 필수적으로 사진을 찍는 코스입니다. 너무 많이 봐서 식상하다고 생각하실 수 있지만, 지역을 상징하거나 식별할 수 있는 사진을 찍기 위해서 랜드마크에서 사진을 찍는 것입니다. 지금도 수많은 사람들이 제주를 처음 방문하거나 정말 오랜만에 제주를 재방문합니다. 학교여행으로 우르르 버스를 타고 다니다가 처음으로 친구와 온 것 일수도 있고요. 손님의 선택을 받기 위해서 제주를 상징하고 제주를 식별할 수 있는 사진을 찍을 수 있도록 준비해놓아야 합니다. 제주도라는 것을 바로 알 수 있게 해주면서 쉽게 추가할 수 있는 장치를 몇 가지 알려 드리겠습니다.

1. 야자수: 워싱턴야자수 라고 불리는 날씬하고 키가 큰 야자수는 80년대 초부터 가로수로 심어졌다고 합니다. 제주도민들 입장에서는 어렸을 때부터 봐왔고, 바람불면 이파리에서 사각사각 소리가 나서 시끄럽고, 태풍에 넘어지기도 하고, 팽나무처럼 큰 나무 그늘을 제공하지도 않는 나무입니다. 그러나 육지에서 오신 분들에게는 야자나무는 제주도라고 외치는 아이콘 같은 존재입니다. 제가 야자수를 심을 때 도민들은 고개를 절레절레 하면서 위의 단점들을 나열하시더군요. 하지만 효과는 확실합니다. 워싱턴 야자는 가격이 보통 m당 5만원 입니다만, 3~4m 정도 되는 것을 15만원 정도에 살 수 있습니다.(이파리

포함 높이) 다만 파서 심는데 트럭과 크레인 + 2인 이 필요하여 심는 비용이 만만치 않습니다. 저는 심는 비용을 75만원을 줬었는 데, 나무가 많다고 해서 이 비용이 늘지는 않습니다. 트럭과 크레인 + 2인의 일당인 셈이죠. 부지가 넓다면 카나리아 야자수나 코코스 야자수도 추천합니다. 몸통이 두껍고 잎이 양옆으로 넓게 퍼져서 사람의 통행을 방해하기 때문에 부지가 넓은 경우에만 심을 수 있습니다. 특히 카나리아 야자수의 경우는 60년 정도에 걸쳐 키 10m 이상 자라는 것으로 알고 있는데, 당근을 보니 가격이 1000만원부터 시작하네요. 동네 형님들에게도 카나리아 야자수를 키우면 손자 대에서 돈이 된다는 얘기를 듣습니다. 나무가 주는 남쪽 나라 분위기가 있어서, 카페나 호텔을 창업할 때 정원수로 수요가 많기 때문입니다. 부지의 여유가 있으신 분들은 후대를 위한 카나리아 야자수 투자도 추천드립니다.

2. 하귤나무: 제주 돌담사이로 주먹보다 큰 큼지막하고 노란 귤이 달려있는 것을 보신적이 있으실 겁니다. 수확을 여름에 한다고 하여 하귤입니다. 자몽처럼 시고 씁쓸한 맛이 있어 잘 먹지 않습니다만, 요즘에는 그 맛을 좋아해서 드시는 분도 계십니다. 이 하귤은 거의 사계절 내내 열매를 달고 있습니다. 돌담 옆에 하귤 나무 또한 누가 봐도 제주도입니다. 풍요로움 그 자체인 노란 열매 무성한 하귤 나무 앞에서 찍는 사진은 무조건 잘 나옵니다. 하귤 나무 가격도 보통 15~20만원 정도면 15~20년 된 괜찮은 크기의 나무를 살 수 있습니다. 오래되고 키가 큰 하귤 나무에 하귤이 주렁주렁 달린 모습은 정말 장관입니다만, 아쉽게도 가격이 비쌉니다. 당근에 150~200만원에

올라가 있습니다. 기특하게도 나무가 작아도 열매가 주렁주렁 열리는 나무이니 작은 것을 사서 크게 키우셔도 됩니다. 키 큰 하귤 나무와 돌담이면 제주도 최고의 인증샷 맛집 가능합니다.

3. 돌집: 이미 지어진 집을 다시 돌집으로 바꿀 수는 없지만 돌집처럼 보이게 할 수는 있습니다. 현무암 부정형 타일, 현무암 담장석 등의 이름으로 불리는 돌이 있습니다. 이 돌은 현무암의 표면만을 슬라이스 치듯이 잘라내어 바깥쪽은 돌덩이처럼 보이고, 안쪽은 판판하게 커팅합니다. 이 현무암 슬라이스들의 크기는 시집 사이즈부터 잡지 사이즈 까지 일정하지 않고, 두께 또한 일정하지 않습니다. 그래서 판판한 면을 타일처럼 빈틈없이 벽에 붙이면 돌이 크기별로 자연스럽게 배치된 진짜 돌담처럼 보입니다. 코너를 위한 ㄴ자형 돌도 있기에 코너부분이 어색하게 끝나는 것도 방지 할 수 있습니다. 자재값은 12m2에 60만원 정도입니다. 필요한 양을 계산하려면 벽면의 높이와 너비를 재고 거기에서 창문의 크기를 빼야 합니다. 시공비와 전용 접착제도 있기에 가격이 만만치는 않고, 가격은 계속 오르고 있습니다만 효과는 확실합니다. 외부에 진짜로 돌을 쌓는 방법도 있습니다. 역시 가격이 만만치 않습니다. 가성비를 위해 한 면만 붙이거나 창문 아래에만 붙이는 방법도 있습니다. 앞에 설명한 하귤과 어울러질 때 완벽한 제주도 사진을 남길 수 있는 필승 공식입니다.

4. 마당이 넓다면 귤나무를 심을 수 있습니다. 직접 만져볼 수 있을 때 손님들의 만족도가 높은 것은 당연합니다. 귤철이 되면 귤따는 모습을 연출하여 인스타로 홍보하시거나 주변에

거래가 가능한 귤밭이 있어서, 귤체험과 연계한다면 강력한 효과가 있습니다. 생산과정을 보지 못하고 완성품만을 마트에서 사는 도시인들이 나무에 열린 잘 익은 열매를 볼 때 느낌은 정말로 신기합니다. 저도 그랬습니다. 그 외에 무엇을 키우셔도 좋지만 나무가 아닌 한해살이를 키우시는 것은 잡초관리가 힘들기 때문에 추천하지 않습니다.

5. 마지막으로 뭔가를 키울 여건이 안된다면 창의 방향을 밭을 향해 내도 됩니다. 밭뷰가 생각보다 예쁩니다. 메밀과 유채 청보리 귤밭 등 너무 예쁩니다. 창을 내실때는 꼭 밭뷰를 보실 수 있는 방향으로 내세요. 밭의 지대가 좀 더 낮아서 아늑한 느낌 까지 준다면 정말로 행운입니다. 계절마다 메밀밭 뷰, 청보리 뷰, 유채꽃 뷰 등 계절마다 바뀐다면 정말로 황홀합니다.

왜 제주도 인가?

<대도시 인근 펜션과 차이점>

제주도 펜션은 육지에 있는 펜션과 무엇이 다를까요? 우선 섬이라는 특수성이 있습니다. 배나 비행기를 타고 와야 하고 다시 육지로 가려 할 때는 배나 비행기를 예약해야 합니다. 그래서 예약을 한 사람부터 종류가 다를 수 있습니다.

대부분의 대도시 부근 펜션을 하는 사람들은 자기의 터전을 멀리 떠나고 싶지 않아서 대도시 부근에서 찾게 됩니다. 자기가 잘 아는 지역이라는 장점도 있습니다. 대부분의 펜션들은 키즈펜션과 애견펜션입니다. 아이들이나 개를 데리고 멀리 다니기 부담스러운 부분이 있기 때문입니다. 아쉽게도 이 대도시 부근 펜션은 단점이 여러 가지가 있습니다.

우선 고급화 경쟁이 매우 심합니다. 펜션을 하기 위한 비용도 많이 들지만, 세대교체가 빠릅니다. 큰 비용을 들여 최고의 시설을 들여도 시간이 조금만 지나면 곧 왕좌를 물려줘야 합니다. 게다가 키즈팬션은 평일 예약률이 매우 낮습니다.

제주도로 와보겠습니다. 육지에서는 있을 수 없는 일이 일어납니다. 대도시 부근에서는 이미 허물었을 오래된 구옥을 고친 펜션이 제주다운 펜션이라고 사랑 받습니다. 입지가 안좋아도 잘 되는 펜션들이 많습니다. (제주다움 = 옛 모습이 남아있는, 좀 불편한 그래도 좋은) 이런 논리로 다 용서를 받습니다.

또 대도시 부근 펜션에는 없는 '한달 살기'를 잘 활용하시면 안정되게 운영하실 수 있습니다. 대도시 부근 펜션 운영과 비교해서 가장 치명적인 약점은 터전을 옮겨야 한다는 것이죠.

제주도에 잘 적응할 수 있을까 두려워서, 제주도 펜션을 사는 것을 고민하는 분이라면 다시 현금화하기 쉬운 크기와 형태의 펜션을 사서 운영하시길 추천드립니다. 나와 맞지 않아도 손해 없이 현금화하고, 다시 대도시로 돌아가실 수 있어야 합니다.

하지만 제주도에 적응하시면 떠나기 싫어지실 수도 있습니다.

시설경쟁이 덜하고, 환금성이 높고, 주중에도 잘 되는 제주펜션을 추천합니다.

6. 펜션 주인이라면 갖춰야 할 덕목

비즈니스맨과 비즈니스맨 호소인

<로망이 뇌를 지배할 때>

문제의 시작은 펜션을 비즈니스로 보지 않고, 제주살이 로망으로 보는 경우, 혹은 두 가지가 혼재된 경우입니다. 두 가지는 분명히 다릅니다. 로망이 뇌를 지배할 때, 우리는 언제나 비합리적인 선택을 합니다. 자신이 좋아하는 방향으로만 인테리어를 하고 서비스를 제공하려 합니다. 물론 자신의 로망은 채우겠지만 펜션 비즈니스는 성공하지 못할 수 있습니다. 펜션을 제주살이 로망에서 가장 중요한 안정적인 돈을 벌어다 주는 초석으로 생각해야 하는데, 로망 그 자체로 생각하는 것입니다.

저 또한 처음 펜션을 짓기로 할 때, 로망에서 자유롭지 못했습니다. 시장 조사 보다는 내가 생각하기에 좋은 것, 내가 갈망해 오던 방향으로 꾸미고 싶어했습니다. 제주도에 집을 짓는다는 생각만으로 어느새 로망에 취해 돈을 버는 최적의 세팅은 뒷전이었습니다. 로망을 따라갔다면 결론은 생활고 일수도 있었습니다. 비슷한 길을 걷는 분들을 너무도 많이 보았습니다. 자연인을 좋아하는 남자분은 고위험군입니다.

또 너무 고급으로 가는 분도 위험합니다. 예를 들어 최고급

타일을 사용했다고 해서 그게 손님들의 내 펜션을 선택하는 이유가 된다는 보장은 없습니다. 펜션 숙박가격의 기준은 먼저 객실의 크기입니다. 고급은 부가적인 옵션입니다. 고급전략이 완벽하게 성공해서 누구나 원하는 포토존이 된다면 성공입니다. 그러나 그렇지 않은 이상 고급을 쓰더라도 숙박가격을 올리기는 힘듭니다.

되돌아 생각하면 저는 외부의 포토존에 너무 치중하다 보니, 객실내부 소품과 보통 어매니티라고 부르는 제공품에서 눈높이가 손님들이 요구하는 수준의 서비스를 제공하기에는 부족했었습니다. 특히나 준비과정 동안 돈이 부족하다 보니, 점점 이 정도면 된다라는 식으로 더 줄이고 싶어했습니다. 되돌아 생각해보면 제가 제공하려던 수준은 5만원 대 정도 숙소가 제공하는 서비스 였던 것 같습니다.

그러나 손님이 지불한 금액에 비해 숙소의 수준이 낮으면 펜션의 장기적인 생존이 어려울 것입니다. 그리고 그 판단을 할 때 손님들이 직접 몸으로 체험하게 되는 객실 내부가 최우선 순위가 될 것입니다.

외부의 멋진 모습은 가산점입니다. 시작은 했는데 한번에 완성할 돈이 부족하다면, 우선 기본에 충실하고 돈을 벌면서 차근 차근 외부를 업그레이드 하는 것도 좋은 전략이라 생각됩니다. 로망이 뇌를 지배할 때, 비즈니스는 위기에 처하게 됩니다. 비즈니스 호소인이 아닌 비즈니스맨 정신으로 냉철하게 순비하셔야 합니다.

우선은 손님들이 실망할 수도 있는 마이너스 요소를 철저히 제거하여 망하지 않을 만한 숙소를 만들고 나서 펜션만의 무기를 준비하세요. 일명 기본빵은 한다면 망하지는 않습니다. 기본을 먼저 만드시고 손님들이 원하는 것을 배워가면서 더 큰 도약을 준비하시기를 바랍니다.

비즈니스 마인드라면 해볼만한 곳입니다. 로망 대신 성실한 자세로 성과를 내봅시다.

같은 장소에 사장만 바꾸면 장사가 잘되고, 안된다.

<사장의 캐릭터 = 펜션>

이번 단락에서는 입지와 건물이 영업의 전부라는 생각을 깨고 사장의 역할에 대해 배우실 수 있는 글을 써보겠습니다. 펜션 운영에서 사장이 차지하는 비중은 아주 큽니다. 잘 되는 곳과 잘 안되는 펜션에서 사장만 교체하여도 바로 가시적인 차이가 느껴질 것입니다.

인터넷 시대이기 때문에, 인터넷상에서 자기 홍보를 하고 자신의 사업체에 트래픽을 발생시킬 수 있는 능력을 가진 사람은 매출을 발생시킬 수 있기 때문입니다. 사실 이 홍보는 돈이 들지 않으며, 무슨 키워드를 얼마에 노출시켜 주겠다는 유료 서비스보다 훨씬 효과가 있습니다.

우리가 여행 당일 현장에 가서 숙박할 곳을 찾는 그런 형태의 숙소들은 이미 없어졌습니다. 그저 우리 머릿속에 그런 기억을 가지고 있을 뿐이죠. 홍보를 현장 위주로 생각하는 방식은 완전히 버려야 합니다.

심지어 바로 옆에 붙어 있는 펜션도 나와 경쟁하는 펜션이 아닙니다. 인터넷상에서 비슷한 가격대와 느낌으로 경쟁해서, 같은 페이지에 나타날 때만 경쟁업체가 되는 것입니다. 그렇기에 우리는 모든 생각과 홍보전략을 인터넷 시대에 맞게 끔 수정해야 합니다. 주변에는 그런 것을 매우 잘 하는 사람들이 있습니다. 그분들에게 다음 사항들을 배워야 합니다.

자신의 사업체에 트래픽을 발생시키는 능력이라고 썼지만, 구체적으로 그 능력은 인스타그램과 블로그를 잘하는 능력입니다. 글과 사진으로 다른 사람의 마음을 움직일 수 있는 것은 대단한 능력입니다.

하지만 당신에게 대단한 능력이 없더라도 상관없습니다. 꾸준히 소소한 게시물을 올리신다면 자신을 응원해 주는 팬과 손님을 만들어가실 수 있습니다. 물론 사람들이 좋아하는 게시물들의 표현방식은 모방해야 합니다. 꾸준히 올릴 능력도 없다면 그건 안됩니다.

내가 느낀 점이나 사는 모습을 꾸준히 올린다면 그것이 큰 힘을 발휘하는 것을 자주 보고 체험하고 있습니다. 도시에 살 때는 볼 수 없었던 자연의 변화 등을 초등학교 때 쓰던 그림일기처럼 사진과 느낀점을 간단히 쓰세요. 일기는 훔쳐보는 게 재미있습니다. 충분히 사람들의 사랑을 받을 수 있습니다.

요즘 펜션을 이용하시는 손님들은 펜션을 오기 전에 인스타를 검색해 보고, 인스타로 펜션의 첫인상을 파악합니다. 게시물 피드 활동이 멈춰진 것처럼 보이는 곳과, 주인이 즐겁게 사는 것처럼 보이는 곳이 있다면 어느 곳을 선택할까요?

경험상 펜션의 시설이 좀 부족하더라도 위와 같은 사장의 능력과 손님 응대에서 단골을 만들 수 있습니다. 좀 많이 부족한 상황을 해결하시는 분도 봤습니다. 정말 환상의 부부입니다.

만약 여러분이 제주도 어딘가 조용한 곳에 위치한 펜션에서(입지가 매우 훌륭하지는 않은) 아침 식사로 그 동네 해녀가 잡은 따뜻한 성게미역국을 먹게 되었다고 상상해 보세요. 생산자가 보이지 않는 음식만을 먹어왔던 우리에게, 생산자의 모습을 보면서 먹는 현지의 경험은 아마도 쉽게 잊히지 않을 추억이 될 겁니다.

이런 임팩트 있는 뭔가를 손님에게 줄 수 있다면, 저는 충분한 경쟁력이 있다고 생각합니다. 그것은 사람마다 다릅니다. 갓 구운 빵을 제공하려는 분도 계십니다. 저도 제주 바다를 보면 갓 구운 향긋한 빵을 먹는 체험을 하고 싶습니다.

이번 단락을 정리합니다. 꾸준히 인스타와 블로그를 할 수 있는 능력과 손님에게 임팩트 있는 뭔가를 줄 수 있는 능력이 있다면 필승입니다. 임팩트 있는 뭔가를 제공할 능력이 없다고요?

그럼 손님의 마음을 따듯하게 할 수 있는 웰컴선물을 주세요.

손님 응대에 자신이 없는데, 펜션 할 수 있을까요?

<INTJ도 하고 있습니다.>

저는 사람과의 만남이 어색합니다. 하고 생각하시는 분도 있습니다. 저 또한 사람과의 만남을 즐기는 파워 외향형과는 거리가 먼 내향적인 사람입니다. 조용하고 사람이 없는 것을 좋아하고 사람을 오래 만나면 기가 빨린 듯한 느낌을 받습니다.

그렇지만 펜션을 하는 데에는 전혀 문제가 없습니다. 우리가 옷가게에 갔을 때 점원이 오는 것을 좋아하는 사람도 있고, 싫어하는 사람도 있듯이, 주인과 만나는 것을 좋아하지 않는 분도 많습니다. 그 대신 손님의 의식의 흐름을 예측할 수 있어야 합니다. 필요한 정보를 필요한 시점에 메시지로 안내해 드립니다.

즉 여행 오기 전에 미리 여행코스를 짤 수 있게끔 맛집과 갈만한 곳 정보를 보내주고, 당일에는 입실 및 주변 정보를 보내드립니다. 메시지를 정말 꼼꼼하게 보는 분도 있고, 전혀 읽지 않으시는 분도 있습니다. 메시지를 받은 것조차 잊어버려서 전화로 문의를 하는 분도 있습니다. 너무 바빠서 그런 분들도 있으실 테니 절대 지레짐작하지 않고 필요한 정보를 다시 보내

드립니다. 바쁘셨던 분일수록 소중한 휴식이 되겠죠.

응대를 하다 보면 일종의 '자주 묻는 질문' 같은 것이 있음을 알게 됩니다. 버스 노선이나 콜택시, 대리운전 등도 '자주 묻는 질문' 중 하나고요. 귤 따기 등 체험에 관한 질문도 많이 하십니다.

손님이 문의를 하면 오히려 손님에게 좋은 인상을 줄 기회라고 생각하시고, 좋은 대답을 주기 위해 노력해야 합니다. 선배들이 만든 소개 문구도 참고하고, 검증을 위해 직접 가서 체험해봅니다. 맛집과 체험지는 인스타그램과 블로그에 올려져서 다시 새로운 유입을 만들어 냅니다.

메시지로 친절하게 응대하실 수 있다면 그걸로 충분합니다.

진상총량의 법칙

<진상과 트러블메이커>

진상총량의 법칙이라는 말이 있습니다. 예를 들어서 손님이 100명이 올 때와 10,000명이 올 때 같은 비율로 진상이 오기 때문에, 모수(Mother Number)인 손님이 늘어나면 그에 맞게 자수(Child Number)인 진상도 늘어난다는 법칙입니다.

이 부분에서 펜션은 객실당 하루 한팀의 손님이 최대이니 다른 서비스업에 비해 월등히 유리합니다.

여기서 절대로 간과하지 말아야 할 문제가 있는데 내가 응대를 잘못하였기에 손님이 정상적인 항의를 한 것일 수도 있다는 것입니다. 메시지를 통한 소통으로 인한 오해, 혹은 내가 다른 손님에게 마음의 상처를 받은 기억이 있어서, 다시 상처 받지 않으려 일부러 차갑게 대하다 보니 손님에게 상처를 준 건 아닌지 곰곰이 생각해 볼 필요가 있습니다.

항상 손님은 좋은 사람일 것이라는 기본 전제를 깔고 시작하세요. 의심을 하다 보면 끝이 없습니다. 실제로도 내가 잘 한 만큼 손님들은 좋은 후기도 남겨주시고 주변에 홍보도 해주십니다.

손님과의 싸움으로 인한 나쁜 후기, 부정적 게시물은 다시 다른 손님에게도 안 좋은 선입견을 줍니다. 후기를 보다보면 앞 사람이 쓴 말이 뒷사람에게 강한 영향을 준다는 것을 알 수 있습니다. 자기 주관이 확실한 사람도 있지만 대부분의 사람들은 군중심리가 있기에 앞사람이 칭찬한 그대로 칭찬하거나, 앞사람이 지적한 부분을 같이 지적합니다.

손님하고 자주 싸운다고 알려진 펜션을 몇 군데 알고 있습니다. 성수기 때는 상관 없었지만 나쁜 후기가 쌓이다 보니 비슷한 후기들이 점점 올라오고 손님이 눈에 띄게 줄어듭니다.

저는 여지껏 2~3000명의 팀을 만났지만 진상이라 생각되는 팀은 손에 꼽습니다. 좋은 사람이 왔는데 내가 진상으로 키워내는 것은 아닐지 성찰해 볼 문제입니다.

돈을 써야 돈을 번다.

<Legend of the Fall>

어르신들이 운영하는 펜션은 시간이 지나면 쇠락합니다. 절약이 몸에 밴 분들이라 꾸준히 돈을 들이지 못하시기 때문입니다. 하지만 손님은 특별한 기분을 얻기 위해 오신 것입니다. 손님들이 주시는 돈의 일부는 반드시 손님에게 다시 돌려주셔야 합니다. 감사한 손님에게 품질과 서비스로 보답해야 합니다.

돈을 아끼는 것이 수익률을 올리는 최고의 방법입니다. 하지만 손님에게 주는 것을 줄여서 돈을 아끼려는 생각은 하지 않습니다. 대신 구매를 예술의 경지로 올리기 위해 노력 합니다. 사입단가를 줄이기 위해 친한 펜션과 공동구매도 생각해보고, 네이버, 쿠팡, 마트 등을 동시에 비교합니다. 물건을 싸게 사기 위해 먼 곳까지 가기도 합니다. 귀찮은 건 안하는 성격이라서, 제 물건을 살 때는 편리한 것을 사용합니다. 하지만 펜션 물건은 비즈니스 마인드로 접근하여 더 싸게 사기 위해 제법 노력합니다. 손님의 만족도는 유지하되 돈을 아끼기 위해서 최선을 다하고 있습니다.

투자가 없는 기업은 성장이 없고 현상유지만 하다가 결국은 하락세를 탑니다. 펜션도 마찬가지로 꾸준히 돈을 들이지 않아 시설이 낡아 버리면 그때는 이미 늦습니다. 한 번에 너무 큰 돈이 들어가게 되므로 우물쭈물 하게 됩니다. 그때부터는 손님들이 외면하는 펜션이 됩니다. 그것은 숙박가격 인하로 이어지고 숙박가격 인하 뒤에는 많은 문제들이 따라옵니다. 연인들이 오던 펜션에서, 가성비 펜션이 되고, 최종적으로 올레꾼, 낚시꾼, 자전거 여행자 등 잠만 자는 사람들이 오는 펜션이 됩니다. 돈을 들여야 할 시점에 돈이 없다면 차라리 대신 펜션을 운영해 주실 만한 분에게 세를 주는 것도 방법입니다. 의욕이 충만하신 분을 만나면 잘 관리해주실 겁니다. 빌린 펜션에 자쿠지나 수영장을 지으시는 분들이 의외로 많습니다. 임대인과 임차인 모두를 지키기 위해서 (계약서 참조) 다음과 같은 특약을 넣으시면 좋습니다.

특약 사항

임차인은 자비로 □□공사 등을 할 예정이다. 이는 임차인의 원활한 영업을 위한 작업이며, 가치 또한 증대되는 작업이다. 임차인은 차후 임대인에게 매수청구등을 할 수 없고, 임대인 또한 원상복구를 지시할 수 없다.

감사한 손님들에게도 줄 수 있는 것이 있다면 광고비라고 생각하고 투자하세요. 일상의 지친 손님이 큰 기쁨을 느끼고 가실 수도 있습니다. 큰 만족을 느낀 것에 대해서는 반드시 수변인에게 전파하는 것이 사람입니다. 블로그 체험단보다 더 나은

투자라고 확신합니다. '물도 안주는 펜션은 처음입니다.'라는 후기나 게시물이 올라오면 그 하나를 지우기 위해 훨씬 많은 후기와 게시물이 필요합니다.

이번 책을 쓰면서 저도 제가 과거에 손님들에게 받았던 메모와 편지등을 다시 보았습니다. 제가 손님들에게 뭔가 더 주기 위해서 노력한다면, 손님들은 거기에 대해서 알아봐 주시고 감사를 표시해 주셨습니다. 저도 인간이라 귀찮고 베풀기 싫을 때, 스스로를 꾸짖으며 쓰는 말이 있습니다.

"오늘은 나에게 일상이지만 손님에게는 특별한 여행이다. 손님을 기쁘게 하자!"

나와 펜션의 스토리

<이야기꾼이 성공합니다>

스토리가 있어야 팬(Fan)이 생깁니다. TV에 나오는 각종 경연대회에도 사연이 있는 출연자들이 주목을 받습니다. 비싼 제품일수록 제품의 스펙보다는 제품의 이미지와 스토리, 브랜드 지향점에 대해서 설명하는 광고도 많습니다. 조명을 받지 못하다가, 미담으로 재조명되어 유명해진 연예인도 많습니다.

펜션은 스토리를 적극적으로 개발해야 합니다. 몇 가지 패턴이 있습니다. ①주인의 스토리 ②키우는 생물을 이용한 스토리 ③집에 대한 스토리 ④땅에 대한 스토리 등이 있습니다. 이 스토리를 통해서 펜션의 이미지를 만드셔야 합니다.

스토리를 보여주는 플랫폼은 인스타와 블로그입니다. 펜션의 주인이 제주도에서 재미있게 살아가는 모습을 찍어서 계속 업로드 한다면, 주인의 대한 호기심과 호감이 펜션으로 연결됩니다. 또 강아지나 고양이를 키우면서 귀여운 모습들을 보여주는 모습도 같은 방식으로 펜션과 연결됩니다. 내적인 친밀감은 손님이 펜션을 선택할 때 매우 중요한 역할을 합니다. 사람은 선택을 내릴 때 감정을 배제하지 않습니다. 그리고 선택을 한 후에는 자신의 생각이 틀리지 않았다는 자기합리화가 자동적으로 실행되며, 동행자에게 자신의 선택을 칭찬받기 위해서 본인도 모르게 노력을 합니다. 팬심 하나가 이렇게 단계적으로 계속 작동을 합니다. 그러므로 반드시 이런 스토리로 손님의 마음을 잡으셔야 합니다.

돌집을 펜션으로 고치는 것은 정말로 돈이 많이 듭니다. 많은 분들이 환상을 가지고 있는 제주 돌집에 가보면 집이 정말 작고 낮기 때문입니다. 이 좁은 방에서 가족들이 살았었구나 하는 생각이 드는데, 방은 보통 침대를 넣을 수 없는 정도로 작습니다. 살려서 방으로 쓰기에도 칸이 너무 작습니다. 활용할 수 있는 것은 외부 돌벽의 일부 밖에 없습니다. 보통 외부의 ㅁ형태의 4벽중 ㄱ자는 살리고 ㄴ자는 제거합니다. ㄱ자 만 살리고 새로 돌을 연장해서 더 큰 ㅁ으로 만듭니다. 집의 한쪽 일부 ㄱ자 부위만 옛 돌벽인 셈이죠. 거기에 높이 또한 낮기에 높이도 돌을 쌓아 올려야 합니다. 그리고 예전에 쌓은 돌벽은 좀 불안합니다. 내부 보강을 해야합니다. 지붕은 기존 서까래를 살리는 고된 작업을 하던가 새로 만들어서 올립니다. 정말 일부분만 사용할 수 있고, 새로 짓는 것보다 더 어려운 작업입니다. 부수지 않고 필요한 부분만 떼어내는 것은 물체가 무거울수록 어렵기 때문입니다.

돌집보다 나중에 짓게 된 블록조(Cement block . 일명 브로끄집)로 된 구옥이라면 그나마 높이나 넓이가 어느 정도 사용할 수 있을 정도로 나옵니다. 지붕을 새로 했다면 더욱 좋습니다. 마당에 커다란 하귤나무나 카나리아 야자수가 있다면 금상첨화입니다. 포토존 까지 해결 되었습니다.

귤창고라면 크고 높게 지어져 활용하기에 좋습니다. 예전 귤창고를 활용한 카페를 가본적이 있습니다. 한쪽 벽에는 지푸라기와 흙으로 메꿔진 부분을 일부러 보이게 두었는데 멋지고 신기했습니다. 할아버지가 직접 지으신 창고라는 스토리가 있었습니다. 아쉽게도 사진이 없었는 데, 정말 부러웠습니다. 내가 가진 건물도 저런 헤리티지(Heritage 유산)를 가졌으면 좋겠다라는 생각을 하였습니다. 하지만 창고는 또 다른 문제가 있는데, 보통 귤밭 2~3000평이 있을 때 거기에 딸려 있습니다. 주인은 귤밭을 팔 때 같이 주는 서비스로 생각하고 있습니다. 창고만 따로 파는 경우는 없고 그것을 주거로 바꾸려 할 때 수도관 등 현실적인 문제들이 많습니다. 한마디로 갖기가 쉽지 않습니다.

저는 펜션 소개글에 '수백년 동안 밭농사를 지은 땅을 단단히 다지고 그 위에 펜션을 지었다'라는 땅의 스토리를 녹여 내었습니다. 아쉽게도 내가 수백년간 뭘 하지는 못했지만 그 문구 하나로 수백년 도민들의 삶의 이야기가 내 펜션에 들어오는 듯한 느낌을 줍니다. 고백하자면 하도 쓸말이 없다 보니 썼습니다.

선물용으로 좋고 유명한 TWG라는 차(Tea)전문 회사는 로고에 TWG 1837 이라고 적혀있어 굉장히 오래되어 보이지만 사실은 2008년도에 설립된 회사이고 1837년은 싱가폴에서 홍차를 처음 수입한 해를 의미한다고 합니다. 바샤커피(Bacha

Coffee) 또한 1910년에 지어진 다르 엘 바샤라는 궁전에서 따왔다고 합니다. 제주도에도 다른 스토리가 있는 연도를 사용하는 유명한 가게가 있습니다.

무엇을 배울 수 있을까요? 맞습니다. 다른 스토리가 가지고 있는 후광의 은총을 입어서 나도 빛날 수 있는 스토리를 개발할 수도 있습니다.

펜션 이름 짓기

<어떤 이름이 좋을까?>

이름은 펜션영업에 영향을 얼마나 미칠까요? 이름은 펜션영업에 정말 큰 영향을 줍니다. 연예인의 예명만큼 중요합니다. 식당에 가더라도 왠지 정통일 것 같은 이름이 있고, 맛이 없을 것 같은 이름이 있습니다. 저는 이름 전문가가 아닙니다. 그래도 이건 피하는 것이 좋겠다는 생각이 든 이름에 대해서 말씀드리겠습니다.

첫째는 유행어나 유행하는 신조어 등을 사용할 때는 주의 하셔야 합니다. 시간이 지나서 너무 예스러운 이름이 될 수 있습니다.

둘째는 리버뷰센트럴파크포레스트에듀아파트 같은 이름처럼 좋은 것을 다 붙이다보니 너무 길어진 이름이 되지 않게 조심하셔야 합니다.

셋째는 너무 예스러운 이름을 붙이지 않도록 하셔야 합니다. 소나무 등 너무 예스러운 이름을 쓰면 좋지 않습니다. 이름만 들어도 오래된 펜션 일거라는 선입견을 줍니다. 세나가 같은 이름이 전국에 너무 많습니다. 검색을 했을 때 찾기가 쉽지 않을 수 있습니다.

넷째로 발음이 어려운 상호는 피하세요. 상호를 발음할 때 자연스럽게 흘러나올 수 있는 이름으로 하셔야 합니다. 전화통화를 하면서 상호를 발음할 때마다 버벅대지 않아야 겠죠.

마지막으로 숫자만으로 이루어진 이름은 기억하기가 정말 어렵습니다. 워낙 이름 짓기가 어려우니 숫자로만 이름을 짓는 경우를 간혹 봅니다. 의미 있는 숫자라면 기억되겠지만 번지수나 본인에게만 의미 있는 숫자라면 손님에게는 그저 암호입니다. 934-81 stay를 어떻게 외우나요? 일주일 뒤에는 분명히 잊혀질 이름입니다.

손님들이 원하는 것이 무엇일까요? 깨끗한 객실, 편리한 서비스, 등 여러 가지를 떠올릴 수 있습니다. 객실 내부는 돈을 들여서 최고급으로 꾸밀 수 있지만, 쇼핑센터나 라운지, 카페, 조식 서비스 등 객실 외적인 부분으로는 호텔과 경쟁할 수 없습니다, 하지만 다행히도 호텔에 가는 손님은 무조건 호텔에 가십니다. 호텔과 펜션은 같은 상품이 아니고 다른 상품입니다. 그래서 더더욱 호텔과 다름을 내세워야 합니다.

우리는 손님들에게 어떤 차별화를 줄 수 있을까요? 호텔에서는 로비나 라운지, 조식 식당 어딜 가나 다른 사람들과 함께 있습니다. 그러므로 호텔과는 정반대로 프라이빗한 체험을 하게 해주는 것입니다.

도시에서 만날 수 없는 공간을 제공해 드리면 더 좋습니다. 새소리를 들으며 잔디밭 위 테이블에서 아침을 먹는 체험을 하실 수 있는 손님들만의 뒷마당과 아늑한 공간을 제공하는 것입니다. 동네가 조용할수록 더 유리할 수 있겠네요.

복잡한데 그냥 장사 잘되는 펜션을 살순 없나요?

<장사가 잘되는 매물?>

장사가 잘되는 펜션이 과연 매물로 나올까요? 장사가 잘되면 자기가 하지 왜 남에게 팔아? 라는 생각이 듭니다.

분명히 장사가 잘 되는 펜션도 매물로 나옵니다. 왜 그런지 풀어 보도록 하겠습니다.

장사가 잘 되는 펜션은 여러 이유가 있습니다
인스타그래머블(사진굿), 로맨틱, 제주스러움, 전망굿, 입지굿, 가성비, 가심비 등 여러 가지가 있겠지만, 반드시 가져가야 할 기본은 청결과 약속입니다. 예쁜데 더럽다든가, 자기 마음대로 예약을 취소한다던가 하면 오래갈 수 없습니다.

요즘 손님들이 생각하는 청결의 수준은 호텔 급이라는 말 한 마디로 표현이 가능합니다. 손님이 퇴실하고 입실하는 시간은 오전 11시~3시 사이입니다. 이 시간 안에 객실을 전부 깨끗이 청소해야 합니다.

그런데 청소를 대신해 주시는 분들의 청소가 눈에 안 차서,

결국 본인이 청소를 하시는 분들이 계십니다. 경험으로 이런 분들의 청소는 정말로 흠잡을 데 없이 깨끗하다는 것을 알고 있습니다. 손님들은 그 청소 상태와 자신들을 대하는 모습을 보면서 비대면 펜션이라도 주인의 마음을 알게 됩니다. 그래서 더욱 예약이 많아지게 됩니다.

펜션 주 이용층들은 전통적인 세대와 삶의 우선순위가 다른 분들이 많습니다. 이런 분들은 성수기와 비수기 구분 없이 자주 여행을 다니십니다. 그래서 좋은 느낌을 주는 펜션들은 실질적 비수기가 없습니다. 이러다 보면 잘 되는 펜션의 주인은 쉬는 날을 잡기가 쉽지 않습니다.

손님과의 약속을 지키기 위해 처음에 말씀드린 잘 되는 이유도 계속 개발하고, 완벽한 청소를 매일 하다 보면 정신적으로 지치게 되는데, 그래도 남에게는 절대 맡기시지 못합니다.

단골 고객이 많을수록 가격을 올리기도 부담스럽고, 다시 와주신 고객을 위해 같은 수준의 청결과 서비스를 제공해야 합니다.

이렇게 너무 책임감이 강한 분이 운영하실 경우에 결국 탈출구는 매매입니다. 이런 경우에 장사가 잘 되는 펜션이 매물로 나오게 됩니다.

만일 이런 펜션을 매매하시게 된다면 해법은 간단합니다. 그대로 가져가셔서 똑같이 애정을 담아 운영하시면 됩니다. 청소하시는 분을 고용하셔서 돈을 더 드리고 더 깨끗하게 청소를 요구하세요. 필요하면 가격도 적정 수준으로 올리세요.

잘 운영하셔서 수익도 내고, 지대 상승의 효과도 누리세요. 펜션 운영 적당히 하면서 쉬겠다는 생각으로 하지 마세요. 펜션은 시간이 흐를수록 손상이 됩니다. 반드시 몸으로 열심히 일하거나, 돈으로 꾸준히 투자해야 합니다. 가장 좋은 방법은 계속 최고의 상태를 유지하며 꾸준히 돈을 벌고, 꾸준히 투자하는 것입니다.

어르신들 소일거리로 생각하시면, 시간이 흐를수록 건물이 상하면서 장사가 안되게 됩니다. 반드시 돈을 주기적으로 투자해야 돈을 법니다.

잘 돌아가게 하여서 찾아주신 손님에게 베풀고, 지역 주민들도 고용하면서 제주도에 도움이 되는 그런 펜션을 운영하세요.

그러면 언젠가 펜션을 그만하려 할 때 지대 상승으로 한 번 더 보답받게 될 것입니다.

애견펜션과 키즈펜션은 숙박비가 비싼 이유가 있다.

<애견펜션과 키즈펜션>

키즈펜션은 당연히 청결한 대한 기준치가 높습니다. 그런데 아이들이 즐길 수 있는 시설이 있다 보니 관리해야 할 것은 더 많습니다. 청소와 관리가 몇 배로 힘들 수 있다는 얘기입니다.

아는 가족이 놀러 온 키즈펜션을 잠깐 둘러본 적이 있습니다. 햇볕도 좋고 청결하게 잘 관리되어 있었습니다. 그런데 실내수영장 때문에 집 전체에 습기로 인한 문제가 보였습니다. 높은 천장에 물이 맺히고 그 물기가 천장을 통해 옆 거실 천장까지 넘어와서 물이 흐르고 있는 흔적이 보였습니다. 숙박한 손님들은 전혀 눈치를 못채고 있었지만, 제가 주인이라면 골치 꽤나 아플 듯 보였습니다. 귀여운 소품들이 있었지만 아이들 손에 수명이 그리 길지는 않겠죠. 그거야 뭐 주기적으로 갈아준다는 마음을 가지면 될 것 같았습니다. 역시 가장 중요한 점은 아이들이 다치지 않게 세심한 곳까지 신경을 써야 하는 것일 겁니다. 갑자기 열이 날수도 있으니 상비약도 준비해 놓고 병원도 가깝다면 더 좋겠네요.

애견펜션을 하는 곳을 가본적이 있습니다. 개들의 특징은 한

녀석이 배변을 하면 그 자리에 다른 녀석도 배변을 한다는 것입니다. 그 흔적을 지우기 위해서 화학적인 방법으로 오줌냄새를 지워야 합니다. 또 마루바닥이나 데코타일등 바닥재의 틈이 있다면 그 틈으로 들어간 오줌은 해결이 안될 수 있습니다. 애견펜션에 가장 좋은 바닥재는 두꺼운 장판이라고 합니다. 틈새가 없기에 청소하기가 좋고 푹신해서 관절에도 좋습니다. 또 표면이 굉장히 강하다고 하니까 발톱자국 걱정 안하셔도 됩니다. 다만 시공할 때 경험이 풍부한 사람이 시공해야 합니다. 엄청나게 무겁기도 하고 다루기도 까다롭기 때문입니다. 또 애견이 물어뜯지 못하도록 마감재나 가구 등은 단순한 것이 좋습니다.

이처럼 키즈펜션과 애견펜션은 모두 손님이 퇴실할 때마다 눈에 잘 보이지 않는 곳에 사고를 친 것은 아닌지 혹은 다칠만한 무언가 생긴 것은 아닌지 잘 확인해봐야 합니다. 또 아이들과 애견은 의도치 않게 물건을 망가뜨릴 수 있습니다. 작고 깨지기 쉬운 물건은 당연히 금물 입니다. 그리고 숙박비가 비싸야 합니다. 그래야만 오래도록 운영할 수가 있습니다.

그리고 항상 가장 중요한 것은 펜션을 그만하고 싶을 때 매매하기 쉽도록 너무 규모가 커지지 않도록 주의하셔야 합니다.

여성 1인 여행객 혹은 여성전용 펜션

<나와 비슷한 손님들과의 교감>

1인 여행객을 받는 펜션을 하시려는 분도 많습니다. 1인 여행객을 위한 숙소를 만들고자 하시는 분들은 여자분들로 본인의 좋았었던 경험을 다른 분도 느낄 수 있게끔 하시려는 좋은 취지입니다. 하지만 1인 여행객을 위한 객실을 운영하는 것은 쉽지 않을 수 있습니다.

손님도 여자 손님만 받으시고 가끔 주인과 손님과의 관계도 굉장히 친해질 수 있는 그런 여행지의 낭만이 있는 그런 숙소를 운영하시고 싶은 마음은 잘 알고 있습니다. 자신과 같은 여성 1인 여행객이 안심하고 올 수 있는 그런 숙소, 제주도에 사는 친한 언니가 운영하는 듯한 숙소를 제공하시면 한번 오신 손님들의 충성도도 매우 높을 것으로 생각이 됩니다.

문제는 숙박비가 높지는 않습니다. 1인당 2~3만원 수준이고 지인과 같이 온 경우가 아니라면 1인 1룸입니다. 일반 가정집을 펜션으로 운영하고 계신다면, 최대로 채워 봐야 10만원을 넘지 못합니다. 평상시에는 5만원을 넘기지 못할 확률이 높습니다. 펜션이 주 수입원이라면 오래 가기 힘듭니다.

손님과의 교감이 크기에 보람도 크게 느끼시겠지만 현실적인 어려움이 있습니다. 애초에 1인 숙박을 위해 칸칸이 효율적으로 지어진 건물이 아니라면 수입이 높을 수가 없다는 것은 짚고 가셔야 합니다.

하지만 분명 운영하시는 주인과 어딘가 닮은 지적이고 조용한 손님들이 펜션을 이용하실 겁니다. 경치를 감상하고, 독서를 하고 저녁에 주인과 가볍게 맥주 한잔 하면서 얘기도 하는 낭만적인 펜션을 운영하게 되실 겁니다. 그 로망을 실천하세요. 그런 삶의 방식을 존중합니다. 대신 나중에 다시 매매하기 쉬운 가벼운 가격의 펜션만 사셔야 합니다.

가족손님과 커플손님의 차이

<객실 매매 전략>

가족손님과 커플손님은 큰 차이가 있습니다. 먼저 커플손님 중 가끔 남자분이 객실에 있지 않고 밖을 배회하는 경우도 보는데 여자분이 화장실을 편하게 쓰실 수 있게 끔 나와계신 겁니다. 아직까지는 서로 조심스러운 사이인거죠. 커플의 경우 서로 조심스러운 사이일때는 서로에게 좋은 이미지를 주어야 하기 때문에 모든 부분에서 조심하게 되어있습니다. 덕분에 정말로 깨끗한 객실들을 자주 봅니다. 감사합니다. 여러분들의 사랑을 응원합니다.

가족손님은 아이가 어린 경우에 아이 뒤치다꺼리를 하느라 서로에 대한 신비감 보다는 전우애로 똘똘 뭉쳐지기 쉽습니다. 화장실을 쓰라고 밖을 배회하시는 분보다는 담배를 피러 밖을 배회하시는 분들은 만납니다. 가끔 부지런한 엄마 혹은 아빠가 있는 집은 정말 깨끗해집니다. 특정 부분에 꽂히셨는지 정말 반짝반짝 빛나게 만들어주셔서 깜짝 놀랄 때도 있습니다. 깨끗이 청소해 주셔서 감사합니다.

가장 중요한 부분은 경제적 위기나 질병유행의 상황일 때입니다. 가족실은 바로 타격이 오지만, 커플실은 가족실처럼 타격을 입지 않습니다. 전쟁 중에도 사랑이 피어난다는 것은 진실이었습니다. 펜션을 운영하실 때 커플실도 같이 구성하셔야 경제 위기나 질병유행의 상황일때도 든든하게 운영하실 수 있습니다. 하지만 고급 객실을 운영하고, 겨울에는 아예 안 하는 패턴으로 운영하시는 분도 계십니다.

가족실은 단골을 만들기가 좀 더 수월합니다. 직장 다니랴, 아이 키우랴, 바빠서 그러실까요? 매년 새로운 곳을 찾기 보다는 여행코스도 안내해주고 편한하게 쓸수 있는 곳을 선호합니다. 항상 작년에 왔었던 비슷한 시기에 계속 연락을 주십니다.

경제 위기나 질병유행 일때는 비행기요금과 렌트카요금이 엄청나게 싸지기 때문에 그 시기를 기회로 생각하는 손님들도 오십니다. 저라도 여행을 가고 싶은데 비행기와 렌트카 요금이 너무 싸다면 그 기회를 잘 잡고 싶을 겁니다.

하지만 아무리 싸게 가더라도 잠만 잘 것이 아니라 감성은 챙겨야겠죠. 비행기와 렌트카에서 돈을 많이 아꼈기 때문에 좋은 곳에서 좋은 음식을 먹을 수 있겠네요.. 이런 저런 이유로 2인실 즉 커플실은 위기에 강합니다.

코로나 시기에 호텔보다 펜션을 선호하는 현상이 높았었습니다. 마음만 먹으면 하루에 5명도 안 만나면서 살 수 있는 시골 펜션은 코로나에 정말 안전하기 때문입니다. 그래서 또 질병 위기가 온다 해도 제주 펜션은 걱정 없습니다. 코로나가 처음

퍼지기 시작했을 때, 제주도에서는 감염자가 없어서 사람들이 마스크를 쓰지 않았습니다. 뉴스를 볼 때 마다 다른 나라 이야기 같았던 느낌이 떠오르네요.

성수기에 강한 가족실을 운영하여 성수기때 돈을 많이 버는 방법이 있고, 비수기에 강한 커플실을 운영하여 1년 내내 안정되게 가져가는 방법이 있습니다. 물론 2가지를 섞을 수도 있고요. 자유를 찾아 떠나온 제주 생활 자유롭게 돈 많이 버시길 바랍니다.

7. 21세기의 홍보 방법

내가 펜션을 지금 오픈했다면 무엇을 해야 할까?

<답은 정해져 있고 너는 따라 하세요>

펜션을 오픈하셨다면 이제 세상과 소통하는 법을 배워야 합니다. 뜬금없이 들리실 이 말의 포인트는 SNS (Social Network Service, 사회 연결망 서비스)를 통하여 사회와 연결되고 소통하는 법을 배워야 한다는 것입니다. 내 주변에는 나와 비슷한 사람들만 있습니다. 그러므로 SNS를 통해 다양한 사람들에게 펜션을 알리고 그 분들이 공감할 수 있게 해야 합니다.

처음에는 '이런 게 도움이나 될까?' 하는 생각을 했었습니다. 하지만 펜션을 찾는 사람이 내가 올린 게시물을 통해 내 펜션을 볼 수 있는 서비스를 제공하는 것은 SNS 밖에 없습니다. 즉 인스타와 블로그 외에는 딱히 내 펜션을 알릴 효과적인 채널이 없습니다. 그러므로 인스타와 블로그에서 우리 펜션을 효과적으로 알리는 것이 가장 중요합니다.

먼저 핸드폰을 신형으로 바꾸셔야 합니다. 핸드폰으로 사진을 잘 찍는 것이 이제부터는 아주 중요합니다. 100마디의 말보다 사진 한 장이 더 많은 것을 전달할 수 있습니다. 그러므로

‘핸드폰으로 사진 잘 찍는 법’도 공부하셔야 합니다. 굳이 카메라를 사실 필요는 없습니다. 핸드폰으로도 충분히 좋은 사진이 가능합니다. 대신 사람들이 선호하는 사진이 무엇인지 알아야 합니다. 그러기 위해서는 다른 펜션에서 올린 사진을 많이 보고 모방하셔야 합니다. 무엇이 좋은지 보는 눈이 있어야 좋은 사진을 찍을 수 있겠죠. 대신 해 줄 사람을 고용해서 블로그에 사진도 올리고 꾸준히 인스타에 올릴 수 있는 사람 외에는 다 배우셔야 합니다.

사진이 준비되었다면 이제 네이버에서 내 펜션을 올릴 블로그를 개설하세요. 이렇게 소통창이 하나 열렸습니다. 여기에 숙박가격은 올리지 마시고 멋진 사진과 글을 올리시면 됩니다. 글을 길게 쓰기 보다는 사진을 많이 올려주세요. 지금 계절이 너무 좋아서 주변 환경이 이렇고 숙소 내부에는 이런 시설이 있습니다.를 보여주시면 됩니다. 조식을 제공한다면 예쁘게 찍어서 올리시면 됩니다.

자 다음은 인스타그램에 가셔서 인스타그램 아이디를 만들고 사진을 올립니다. 인스타그램의 사진을 올리고 나면, 이제 비슷한 주제로 인스타를 올리시는 분들을 찾아다니며 ‘좋아요’를 눌러줍니다. 아까워하지 마시고 눌러주세요. ‘팔로우’도 해주세요. 그분들도 제 인스타그램에 와서 ‘좋아요’를 갚아주고 ‘팔로우’를 눌러주실겁니다. 혹시 숙박손님이 ‘좋아요’와 ‘팔로우’ 하신다면 반드시 답방 하셔서 똑같이 해주시면 됩니다. 이 ‘좋아요’와 ‘팔로우’를 절대로 아끼시면 안됩니다. ‘좋아요’ 인심이 후해야 성공하실 수 있습니다. 또 인스타그램에는 취향이 나오기 때문에 인스타그램 친구도 나와 취향이 잘 맞는다면 진짜 친구가 될 수 있습니다. 서로 상대의 생활을 보다 보면 저절로 내적 친밀감이 생길 수 밖에 없습니다. 인스타그램은 워낙 중요하기에 뒷 부분에서도 추가적으로 설명할 예정입니다.

그리고 네이버에 펜션을 등록하셔야 합니다. 내가 찍은 멋진 사진, 혹은 손님들이 찍어주신 멋진 사진과 글을 블로그에서 보고 검색을 했는데, 사업장이 뜨지 않으면 예약을 할 수가 없습니다. 네이버 스마트 플레이스 라는 곳에서 등록하실 수 있습니다. 네이버에서 바로 예약을 받을 수 있게 설정할 수도 있고, 네이버 지도와 전화번호만 나오게도 할 수 있습니다.

가끔 오는 외국 손님들은 구글지도로 검색해서 오시는 분들도 많습니다. 자차 운전하시는 외국손님들이 국적을 불문하고 계속 같은 장소에서 저에게 헬프를 요청하셨습니다. 계속 같은 로터리 옆 교회 근처 였습니다. 나중에 확인해보니 그분들의 공통점은 구글맵에 잘못 나와있는 주소를 보고 찾아가신 분들이었습니다. 외국인 관광객을 위해 구글에도 등록하시고 주소도 꼭 확인해 보세요.

펜션을 안정되게 운영할 가장 중요한 전략

<펜션 숙박 가격 설정 전략>

가격! 가격은 숙박을 결정하는 데 가장 중요한 사항입니다. 펜션의 흥망이 이 가격 설정 전략에 달려있습니다. 적정한 가격을 설정하고 그에 맞게끔 시설을 투자하시면 실패없이 안정되게 운영할 수 있습니다. (적정이 얼마인지는 밑에서 수치로 알려드리겠습니다.)

먼저 가격 설정의 기준을 잡아보도록 하겠습니다.

경험상 숙박 가격 설정의 기준은 평수와 관련이 있습니다. 평당 보통 1~1.2만 원 정도를 받습니다. 거기에 외부 즐길 거리에 따라 조금씩 금액이 추가됩니다. 바비큐를 하면 추가 2만 원, 수영장이나 온수 풀이 있다면 추가 얼마 이런 식이죠.

먼저 어느 가격대가 가장 손님이 많을지 생각해 볼 시간입니다. 우리가 원하는 손님은 20~30대, 혹은 미혼인 40대 초반의 SNS 활동을 활발히 하는 커플입니다. 젊더라도 어린아이가 있는 경우에는 체력적인 문제로 SNS 활동이 어렵습니다. (가족실과 커플실을 운영해 보면, 커플들이 SNS 게시물을 훨씬 많이 업로드 하는 것을 직접 체험할 수 있습니다.) 이분들은 펜션과 주변의 예쁜 곳들을 찍어서 인스타그램이나 블로그에 업로드해 주십니다. 만약 숙박에 만족하신다면 저절로 나의 펜션을 광고해 주시는 정말 고마운 분들입니다.

이분들의 눈에 띄기 위해 전략적으로 가격을 낮추어서 시작해야 합니다. 평당 8천 원 정도가 좋습니다. 객실이 20평대라면 더 낮추시는 것도 좋습니다. 10평 미만이라면 7만 원 이하로 하시고, 20평대라도 18만 원을 안 넘기시는 것이 좋겠습니다. 최대한 만실을 목표로 낮은 가격으로 운영하세요.

(절대 계속 가격을 낮게 하라는 뜻이 아닙니다. 후기가 쌓이기 전에는 돈을 주고 리뷰를 산다고 생각하시면 됩니다. 홍보하는 사람들을 초청해서 돈을 주거나 재워주는 것보다, 돈을 조금 싸게 받고 리뷰를 사는게 훨씬 이득입니다.)

가격이 낮으면 손님이 후진 거 아니냐고요? 지불 하는 입장에서 2인 기준 7만 원 이상은 절대로 대충 잠만 자러 오는 숙소의 가격이 아닙니다. 아직도 2인 기준 3만 원대의 숙박 형태는 많습니다. 1인 기준 2만 원 대도 많고요.

젊고 왕성하게 SNS 활동하시는 이분들은, 숙박에 만족하신다면 후기와 게시물을 써주십니다. 앱에 남긴 후기, 인스타그램과 블로그의 게시물 하나하나는 다른 사람들에게 신뢰를 주고 홍보하여 새로운 손님을 유입시킵니다.

사람을 고용하여서 돈을 주고 게시물을 쓰는 광고 전략은 매우 유용합니다. 그러나 가격을 낮추고 이분들에게 더 베푸는 전략은 돈도 벌리고 팔로워도 생깁니다. 이후에 SNS 상에서 믿음의 고리가 형성된 후에는 손님도 많아져서 내가 받고 싶은 가격을 받을 수 있습니다.

오픈 시점이 4~5월이면 더욱 유리합니다. 1~2달 낮은 가격으로 운영을 하면서 리뷰를 쌓고, 6월부터 정상 운영이 가능하기 때문입니다. 뜨거운 여름 극성수기를 지나고 가을이 되면 펜션 운영이 안정됩니다. 리뷰도 쌓이고 주인 또한 경험치를 어느 정도 쌓게 됩니다.

굳이 '시작할 때'라는 시점을 구분한 것은 사람들은 리뷰가 없는 곳에 연인과 놀러 가는 것을 두려워하기 때문입니다. 인터넷 쇼핑을 할 때에도 후기를 살펴보는데, 사랑하는 사람과의 휴식을 위한 숙소 예약을 할 때 리뷰가 전혀 없는 곳을 선택하실 수 있는 사람은 없습니다. 특히 시작한 지 얼마 안 된 관계의 연인이라면 더더욱 불가능하겠죠.

이렇게 낮게 시작해서 리뷰를 쌓아나갑니다. 리뷰가 쌓이면 이제는 다음 단계로 넘어갈 수 있습니다. (가격 설정 전략을 통해서 펜션 운영이 안정되고 나면 수익이 안정적으로 나오게 되는데, 제주도 펜션은 서울 근교 펜션과 달리 주중에도 예약이 많습니다. 생각보다 많은 수익이 될 수도 있습니다.

이 글을 읽으시는 분들은 내 삶의 방식과 전~혀 다른 방식으로 사는 사람들도 많다는 것을 생각하셔야 합니다. 저 또한 운영 초기에는 손님들이 다 20대에 예쁘고 잘생기고 돈도 많다는 사실에 많이 놀랐습니다. (사람마다 돈의 우선순위가 다릅니다.)

다음 단계로 이제는 직원을 구하시는 것도 가능하게 됩니다. '최우선 목표'가 펜션을 알리는 것에서, SNS상에 형성된 믿음의 고리를 지키고 품질로 보답하는 것으로 변경되었습니다. 안정이 되었기에 협력자를 구할 수 있게 된 것이죠.

협력자에게 유지를 맡긴다면, 주인은 다음 단계를 볼 수 있어야 합니다. SNS 상에 형성된 믿음의 고리를 지키고 품질로 보답하기 위해서 정기적 수리도 하고, 손님들의 체험을 극대화하기 위해 새로운 기능과 시설들도 도입합니다. 1년 매출의 5~10% 정도를 기업이 R&D 투자하듯 새로운 시설 도입에 투자하면 좋을 것 같습니다.

모든 과정들은 다시 인스타그램과 블로그에 담겨 펜션의 브랜드와 지향점을 더욱더 강화시켜 줍니다. 많은 분들이 이즈음에 지인을 데려와서 추가로 펜션을 시작하시게 됩니다.

펜션 성공의 시작은 바로 가격 설정 전략입니다.

가장 많은 이용자층을 공략한다면 실패는 피해 갈 수 있다고 분명히 말씀드립니다.

포토존

<포토존 + 인스타그램 = 성공적>

바이럴 마케팅이란 바이러스처럼 저절로 전파되는 마케팅을 말합니다. 마케팅을 하는 입장에서 정말 꿈같은 일이죠. 스스로 생명력을 가지고 계속 홍보가 된다면 돈을 사용해서 하는 홍보보다 거부감 없이 널리 퍼질 수 있습니다.

이것을 펜션에 대입한다면, 내가 여기에 왔다는 인증 사진을 안 찍고는 못 배길 정도의 포토존 혹은 시설물입니다. 포토존이나 시설물이 훌륭하고 사진도 잘 나온다면 손님이 인증사진을 안찍고는 못 넘어가겠죠.

그 인증사진은 핸드폰에만 담겨있지 않고, 카카오톡 프로필 사진이 되고, 블로그에 올라가고, 인스타그램에 업로드 됩니다.

저도 예전에는 인스타그램을 사용하지 않았습니다. 하지만 펜션을 하신다면 인스타그램은 반드시 해야 합니다. 인스타그램은 간단함을 무기로 전 세계에 퍼진 만큼 배우는것도 아주 쉽습니다. 사진을 찍고 글을 몇 줄 쓰고, 해시태그라고 불리는 #

뒤에 펜션의 이름을 쓰면 됩니다. 또 '#커플펜션'이나 '#바다뷰펜션' 등의 키워드를 사용하면 해시태그 뒤에 붙인 말이 검색어가 됩니다. 다른 사람이 인스타그램에 들어가서 제 펜션 이름을 검색한다면 해시태그를 붙인 게시물들이 나타나게 됩니다.

인스타그램은 개인의 일상을 기록하고, 공유하고 소통합니다. 필름 사진 시절 앨범의 역할과 그리고 자신의 취향 혹은 소유물, 체험을 전시합니다. 기록함과 동시에 주변인에게 공유되면서 공감과 부러움을 일으키고, 상대방은 '좋아요'와 댓글로 소통하게 됩니다.

그런데 이 공감과 부러움은 다시 모방행위를 만들어냅니다. 저도 처음 지인이 인스타그램에 업로드 해줬을 때까지만 해도 파급력이 있을거라는 생각을 하지 못했습니다. 하지만 앞사람이 찍었던 포토 포인트에서 다른 사람이 비슷한 앵글로 찍는 모습들을 보고서 그 효과를 체감하였습니다. 모방행위가 많아진다면 주객이 전도되어 그 사진을 찍기 위해서 펜션에 오게 됩니다.

누가 그러냐고요? 빵을 먹기 위해서가 아닌, 캐릭터 스티커를 모으기 위해 캐릭터 스티커빵을 사는 일은 1999년부터 있어왔습니다.

광고비로 지불할 것이냐, 손님에게 줄 것이냐

<내돈 내산 후기로 채워간다면>

앞서 말했듯이 펜션은 계속해서 돈을 필요로 합니다. 동시에 과잉투자를 경계하는 글을 계속 써왔습니다. 하지만 과잉투자를 해도 되는 것 하나는 손님에게 제공하는 것입니다.

뭔가를 줘도 고마운 줄 모르는 손님은 분명히 있습니다. 하지만 깊이 감사하는 분도 있습니다. 진상총량의 법칙이 있듯이 귀인총량의 법칙도 있을 겁니다. 그러니 귀인을 만나기 위해서 손님에게 꾸준히 주셔서 확률을 올리셔야 합니다.

제 기준으로 블로그에 게시물을 올려주신 분들과, 인스타에 피드를 올려주신 분들은 모두 귀인입니다. 제대로 된 게시물, 피드 하나의 시장가치는 굉장히 높습니다. 무료숙박과 소정의 돈을 제공해야 제대로 된 게시물, 피드 하나가 올라가게 됩니다. 그런데 돈을 내고 펜션에 와주셔서 모든 사람이 볼 수 있는 곳에 정성스런 사진과 글을 써주시는 손님은 정말 귀인입니다.

친구들? 대부분은 공짜로 안 재워주냐 같은 얘기만 할 뿐입니다. 공짜로 재워줬는데 그것도 모자라서, 대접까지 받으려고 하는 친구가 있다면 멀리하시는 게 좋겠습니다. 와서 돈을 지불 하고 숙박도 하고 최선을 다해서 홍보를 해주려고 한다면 정말 감사한 친구입니다. 그 친구가 귀인 일수도 있습니다. 제주 생활은 귀인을 알려주는 필터링 기능이 있습니다.

손님들이 찍어주신 사진 중에 정말로 멋진 사진들이 나올때가 많습니다. 사랑하는 사람을 더 멋지게 찍어주기 위해 DSLR을 가지고 오신 분도 있고, 그런 분들은 골든아워라 불리는 사진이 잘 찍히는 시간대를 맞춰서 찍기도 하십니다. 핸드폰 사진과 색감보정의 달인이신 분들이 찍어주시는 사진도 환상적입니다. 또 저와는 전혀 다른 시선에서 물건을 재해석해서 사진을 찍으시는 분들도 많습니다. 저는 아무 관심 없었던 곳에서 멋진 사진을 찍어주십니다.

인스타그램에 언급기능이라는 것이 있습니다. '@사용자이름' 같은 방식으로 쓰고 피드를 올리면 '@사용자이름' 에 언급된 사용자에게 알림이 가는 기능입니다.

손님이 혹시 인스타에 사진을 올리신다면 분명히 '언급기능' 을 사용하셔서 '@◆◆펜션' 이라고 올리셔서 저에게도 알림이 오게 됩니다. 그 경우에는 반드시 감사한 마음으로 '좋아요'를 누르시고 팔로우도 합니다. 그리고 사진이 너무 좋다면 손님에게 연락하여서 사진을 써도 되냐고 문의하시면 됩니다. 인스타그램은 보여주기 위한 공간이기에 모든 손님은 그 사진을 사용하는 것을 허락하십니다. 허락하지 않고 비밀로 볼 사진이었다면 알림을 보내지도 않겠죠.

그리고 리그램이라는 기능을 이용하여 그 피드를 내 인스타그램에 올립니다. 손님은 남에게 보여주기 위한 피드를 내가 홍보해 주니 좋아하십니다. 펜션 소개 사진을 손님이 찍어 주신 걸로 바꾸기도 합니다. 정말 완벽한 순간 포착이 된 아름다운 사진들도 있기 때문입니다.

이제 다른 손님들이 그 사진을 보고 비슷하게 따라 찍습니다. 인스타그램에서 #◆◆펜션을 치면 #◆◆펜션을 키워드로 쓴 피드가 올라오기 때문에 새로운 것이 있는지 확인하실 수 있습니다. 손님들이 과연 어떤 모습을 가장 좋아하고 사진으로 찍어서 올렸는지 볼 수 있습니다. 꾸준히 분석해 보셔야 합니다.

게시물과 피드가 쌓이기만 한다면 예약으로 바뀌게 됩니다. 잘 가꾸시면 결코 배신 하지 않습니다.

추억은 잊혀져도 게시물은 지워지지 않습니다.

◇◆◇◆◇

8. 슈퍼 호스트의 슈퍼 노하우

청소와 관리가 쉬운 구조로 만들기

<작은팁>

펜션운영을 할 때 청소는 매우 중요합니다. 손님에게 가장 쉽게 불쾌감을 줄수 있는 방법은 청소를 엉망인 상태로 손님을 받는 것입니다. 구조적으로 청소와 관리가 쉬운 구조가 있습니다. 하나씩 풀어보도록 하겠습니다.

1. 단층이 복층이나 2층 구조보다는 청소가 쉽습니다. 청소도구를 들고 2층에 올라가고 내려가는 것이 피곤할 수 있습니다.

2. 침대프레임의 구조를 평상형으로 선택하시는 것이 좋습니다. 우선 구조가 튼튼해서 침대에서 삐걱거리는 소리가 나지 않습니다. 그리고 매트리스를 밀기 쉬워서 침대보를 교체하기가 편리합니다. 또 다른 장점은 다리가 높아서 하단으로 로봇청소기가 다닐 수 있습니다. 화장실 청소를 하면서 동시에 로봇청소기를 돌리면 화장실 청소가 끝날 때 내부 1차 청소도 같이 끝납니다.

3. 나무식탁 위에 유리를 깔면 유리 밑에서 냄새가 날 수도 있습니다. 사이로 스며든 것을 잘 닦아줘야 합니다. 오염에 강한 소재의 식탁을 사용하시는 것이 좋습니다.

4. 화장실 구배가 잘 잡혀 있으면 물때나 곰팡이가 잘 생기

지 않습니다. 신축이나 수리시 구배를 신경 써줘야 합니다.

5. 외부에 빗물로 인한 눈물 자국 방지를 위해 창틀에는 창호 빗물받이를 설치하고 후드용 캡은 눈물방지 후드캡을 사용하셔야 합니다. 그렇지 않으면 3년 정도 지나면 눈물자국이 생겨서 보기 좋지 않습니다.

6. 별도의 창고 공간이 있어야 합니다. 그렇지 않다면 청소도구를 차에 싣고 다녀야 할 수도 있습니다. 공간이 없다면 침대밑 공간이나 벤치 의자등 수납할 수 있는 공간을 만드셔야 합니다.

7. 잔디나 흙을 밟고 펜션으로 진입하게 된다면, 현관 타일은 어두운 계열의 타일과 어두운 줄눈이 좋습니다. 전체적인 분위기가 밝아서 밝은 타일을 쓰신다면 줄눈만 어두운 색상으로 하셔도 어울립니다. 하얀 줄눈은 흙탕물에 정말 취약합니다.

8. 분리수거가 쉽게 쓰레기통을 배치하시고, 비닐 교체가 쉬운 제품으로 준비하셔야 합니다. 전날 마신 술이 덜 깬 손님도 분리수거 하기 쉽게끔 잘 준비해 주셔야 합니다.

펜션에 요구하는 청결의 수준은 가격에 비례합니다. 올레꾼이나 낚시꾼들이 주로 오는 싼 객실에서 요구하는 청결수준과 객실가격이 비싼 곳에서 요구하는 청결 수준은 다릅니다. 펜션은 조리기구와 조리시설이 있다보니 호텔보다 청소할 부분이 더 많습니다. 마당이나 뒷마당도 관리해야 합니다. 부서별로 사람이 존재하지 않고 펜션주인 혹은 펜션주인 가족이 해결해야 하는 것이죠. 주인은 시설물관리에도 어느 정도 노하우를 키워야 합니다. 노하우가 없다면 부를 만한 사람들을 확보해 놓아야겠죠.

내부 벽의 페인트 마감을 1주일에 한번 정도 리터치 하는 펜션도 있습니다. 손님들이 여행용 가방으로 긁거나 부딪힌 부분들은 검은 자국이 생기기도 합니다. 냄새 없는 친환경 수성페인트로 퇴실하자마자 칠하면 2시간 안에 완전히 마릅니다. 유성페인트로 칠한 경우 걸레로 닦으면 잘 지워집니다. 반짝거리는 느낌이 싫어서 수성페인트로 칠하셨다면 칠하시면 되고, 반짝거리는 느낌이 좋아서 유성으로 칠하신 분은 걸레로 닦으시면 됩니다.

사람이 화장실 청소를 하는 동안 로봇 청소기가 먼저 객실을 청소합니다. 그리고 그 후에 다시 청소기로 로봇이 놓친 부분을 찾으며 청소합니다. 마지막에는 뒷걸음질을 하며 물걸레 청소기로 청소하며 나옵니다. 물걸레 청소기가 있어 참 편안합니다. 화장실 청소는 마지막에 물긁개를 사용하셔서 물기 없는 상태로 만들고 나와야 합니다.

이불커버는 손님들이 봐도 청결을 신뢰할 수 있게끔 투명한 플라스틱 통에 담아서 가지고 다닙니다. 차곡차곡 쌓을 수도 있습니다. 바퀴가 달린 청소 카트를 인터넷에서 주문하셔서 청소할 때 사용하셔야 합니다. 몰입이 끊어지면 다시 그 수준까지 몰입하는데 시간이 걸립니다. 작은 차이 같지만 한번에 청소 하는 것과 필요한 물건이 있을 때마다 들고 와서 청소하는 것은 전체 시간에서 30분 이상 차이가 날 수 있습니다. 창고에 관리 물품 리스트를 만들고서 물품이 떨어지지 않게 잘 관리하셔야 합니다.

창고도 한눈에 관리할 수 있게 선반을 설치하세요. 관리를 잘 하다 보면 창고에 대한 열망은 점점 커집니다. 저도 창고가 있지만 거실에도 물품이 잔뜩 있습니다. 지금도 새롭게 진열을 시도합니다.

오토 운영에 도전하라

<사람 구하는 법>

2023년 기준으로 청소를 해주는 직원은 보통 시간당 1만 원 정도입니다. 수요와 공급의 법칙에 따라 여름 극성수기에는 1.2만 원 이상 올라갑니다만 인구가 많지 않은 제주도 읍면 지역에서는 그마저도 구해지지 않습니다.

한마디로 여름에 구하는 것은 거의 불가능입니다.

직원을 구할 때는 역시 수요와 공급의 법칙에 따라서 극성수기가 지난 시점에 직원을 구해야 괜찮은 직원을 뽑을 수 있습니다. 그래서 가을이나 겨울에 구하여 계속 같이 가는 것을 추천합니다.

직원분의 생활이 안정되어야 다른 고민 없이 열심히 일하실 수 있습니다. 그러기 위해서 100만 원 이상은 가져가실 수 있도록 해야, 직원도 책임감을 가지고 일할 수 있습니다. 직원이 책임감을 가져야 펜션 주인도 직원으로 인한 스트레스를 받지 않게 됩니다.

외부 잔디 관리 등도 맡겨서 어느 정도 돈을 벌어 가실 수 있도록 신경 쓰셔야 합니다.

청소 및 관리를 도와주시는 분들은 일도 중요하지만, 펜션의 얼굴이라는 점도 아셔야 합니다. 손님들이 조금 일찍 오시거나 숙박 중인 손님과 직원은 마주치게 됩니다. 환하게 웃으며 안녕하세요. 라고 인사해주시는 직원도 있지만 무뚝뚝한 얼굴과 퉁명스러운 태도로 마주치게 될 수도 있습니다.

펜션을 운영하시다 보면 정말로 잊지 말아야 할 한 마디가 있습니다.'나에게는 일상이지만 손님들에게는 아주 특별한 날이다' 오늘은 손님들에게 신혼 여행 일수도 있고, 결혼 기념일 혹은 정말 오랜만에 부모님과 함께 하는 시간이 될 수도 있습니다.

손님이 오시면 인사를 아주 잘하시는 분이 계셨습니다. "날씨가 참 좋네요~", "너무 예쁘시네요" 등 그분이 인사를 하시면 손님들이 항상 웃으십니다. 주인 입장에서는 정말 감사할 일입니다.

직원 혹은 내가 친절하다면 손님들의 숙박은 완벽할 수 있습니다. 그리고 후기와 게시물도 만족도 만큼 좋게 쓰여질 것입니다.

친절하고 일 잘하는 직원이 잘 구해져 안정적으로 돌아간다면 오토운영도 가능합니다. 남는 시간에 펜션의 강점을 더 보완하거나, 내 꿈을 향한 다른 일도 하실 수 있습니다.

펜션을 운영하시면서 다른 일을 하고 있다면 아주 유리합니다. 계속 새로운 손님들에게 내가 만든 것을 직.간접 적으로 보여드릴 수 있습니다.

내가 무언가를 만들고 있다면 그것을 펜션에 두어 손님들이 체험하실 수 있게 하는 것이고, 농사를 짓고 있다면 손님들이 먹어보고 구매로 이어지게 할 수 있습니다. 내가 정직하게 펜션을 운영한다면 그 신뢰감이 내 제품까지 이어집니다.

손님은 돈을 쓰고 즐기기 위해 온 것이고, 여행에 지쳐있을 수는 있지만 새로운 풍광에 들떠 있는 상태입니다. 쉽게 구매로 이어질 수 있습니다.

하지만 오토 운영도 유의하셔야 합니다. 사장이 신경 쓰는 모습을 보이지 않는다면 직원은 결국 직원일 뿐입니다.

비품 구입

<렌탈과 쿠팡>

저는 개업전 부터는 돈이 부족하여 마음이 조급해졌습니다. 돈이 없다고 해서, 수준이 떨어지게 준비할 수는 없어서 고민하고 있었습니다. "찾으면 구해진다"는 말처럼 서귀포에서 열린 제주 경향하우징 페어에서 렌탈서비스가 있다는 것을 알게 되었습니다.

렌탈을 이용하면 주기별로 기사님이 오셔서 케어를 해주십니다. 케어 받는 모습은 다시 인스타그램에 정기적으로 업로드합니다. 이제 주기적으로 케어받는 펜션으로 광고가 되었습니다. 청결에 대한 걱정이 많은 손님들에게 이 케어 받는 모습은 보증마크 정도로 보일 수 있겠죠. 시작 비용도 줄이면서 '전문가에게 케어받는 펜션'이라는 광고효과도 누릴 수 있습니다.

제주도에 살면서 힘든 점 중 하나는 택배입니다. 배송비가 6000원인 경우가 많아서, 가격이 낮은 물건을 살 때 선뜻 손이 가질 않습니다. 쿠팡에는 '와우회원'이라는 한달 4900원 짜리 서비스가 있습니다. 와우회원에게는 배송비를 안 받는 물건이 많습니다. 펜션을 하면서 손님에게 제공하는 물건이 많은 경우에 큰 도움이 됩니다.

가구를 사려고 할 때 제주도에는 마음에 드는 물건이 없을 수 있습니다. 이 경우 아예 육지로 가는 것도 방법입니다. 화물 배송은 상자당 배송금액이 아니라 팔레트(pallet · 일명 빠레트) 당 가격으로 책정이 됩니다. 택배와 다르게 물건을 위아래로 겹칠 수 없어서, 트럭 한대에 실을 수 있는 팔레트 개수가 정해져 있기 때문입니다. 또 직접 트럭을 가지고 가시는 방법도 있습니다.

중고거래 어플인 '당근'에서는 대게 조경용 식물을 사거나 궤나 돌하르방, 정낭, 유리 테왁 등 제주스러운 물건을 사기에 좋습니다. '알림 키워드 설정'을 해놓으면 누군가 판매물건을 등록하는 즉시 알림이 와서 편리합니다. 카페에서 정리하는 물건들 중에는 쉽게 구하기 힘든 소품도 많고, 테이블이나 의자도 예쁜 것이 많습니다.

중국 어플인 알리익스프레스를 사용하시는 분도 많습니다. 정말 싼 가격에 배송비가 없는 경우도 많지만, 배송일은 오래 걸립니다. 알리익스프레스에서는 한글서비스가 가능하고, 한국 홍보를 위해 배우 마동석 씨를 모델로 쓰고 있습니다.

배송이 오래 걸리니 시간의 여유가 있을 때만 사용하시고, 전기를 사용하는 제품은 콘센트 코드 모양이 다르거나 하는 문제가 있기에 조심하셔야 합니다. 결론적으로 쇼핑 중수 이상에게만 추천 드립니다.

<돈으로 해결>

펜션을 운영하다 보면 예상치 못한 문제가 발생하게 됩니다. 저 역시 코로나가 한창인 시절 너무 많은 예약과 취소, 다시 예약을 받다 보니 한 객실에 두팀의 손님을 받은 적이 딱 한번 있었습니다.

바로 저희 숙소보다 좀 더 비싼 신화월드 랜딩관으로 가서 결제해드렸습니다. 그 외에 문제가 생겼을 때도 죄송하다는 말과 돈으로 해결합니다.

손님은 저희 펜션에 말 그대로 쉬러 오시는 것인데, 도어락 경고음이 새벽에 울려댄 적이 있었습니다. 편안히 쉬시던 손님을 깨운 적이 있었습니다. 휴식을 완전히 방해하여서 화가 많이 나신 손님에게 전액을 다 환불해 드렸습니다. 그 외에 문제로 방을 옮기게 하는 등에 번거로움을 드린 손님에게는 카카오톡 선물하기로 치킨 3만원을 보내 드렸습니다.

손님이 불쾌함을 느꼈다면 선제적으로 환불을 해드립니다. 청소비와 플랫폼 수수료는 제하고 드리지만, 나가라고 쫓아내지는 않습니다. 나쁜 후기가 달릴까봐 전전긍긍하기 보다는 선제적으로 해결하시고 후기를 관리하는 것이 좋습니다.

사실 돈으로 환급하지 못할 뿐이지만 후기는 돈입니다. 우리가 블로그에 글을 쓰기 위해 파워블로거 초청 등에는 돈을 쓰듯이, 후기를 관리한다는 개념으로 돈을 쓰는 것도 같은 맥락으로 생각하셔야 합니다.

내돈 내산 후기의 가치는 점점 올라가고 있습니다. 후기도 돈으로 관리한다고 생각하시고, 광고비라 생각을 하시면 마음이 좀 더 편안해 질 것 같습니다.

손님이 물건을 파손 했을때는 이렇게

<문제를 해결하는 메시지>

펜션이 예뻐 보이기 위해 장식해 놓은 물건을 손님이 실수로 파손하는 경우가 가끔 있습니다. 저도 그런 경험이 한 번 정도 있습니다. 그 뒤로는 장식용품을 높게 두거나, 단단히 고정합니다. 돈이 있어도 구하기 힘든 물건을 파손시켰을 때는 참 난감합니다.

청량한 건배음을 내기 위해 얇게 만들어진 와인잔도 자주 깨지는 물건 중 하나입니다. 어느 날 저녁 손님이 잔을 깼다고 연락이 왔습니다. 혹시나 다칠까 달려가서 진공청소기로 밀고 몇 번을 물휴지로 닦아내었습니다. 그런데 다음날 청소 할 때에도 바닥에 유리가루가 있더군요. 놀라서 바로 디자인이 괜찮은 플라스틱 와인잔을 고르고 골라 교체하였습니다. 저 가루를 다음 손님이 밟아서 다치셨다면, 생각만 해도 끔찍합니다.

저는 손님에게 물건을 파손했다는 메시지를 받으면, (요즘 분들은 전화보다 메시지를 보내십니다.) 무조건 다치신 곳은 없는지를 먼저 물어봅니다. 이렇게 메시지를 보내시는 분들은 마음속에 이미 변상의 준비를 하고서 메시지를 보내시기 때문에,

제가 다치신 곳을 먼저 물어보면 감사해하십니다.

손님이 물건을 파손하고 말없이 가는 경우가 있습니다. 몰라서 그랬거나 알면서 그랬거나, 둘중 하나 겠지요. 이때 반드시 메시지를 다음과 같이 보내야 불필요한 감정싸움이 없습니다.

잘 쓴 메시지: 안녕하세요. ○○ 펜션입니다. 퇴실 청소를 하고 있는데 1. △△가 파손 되었고, 2. 파손된 △△가 쓰레기통에서 나왔습니다. 파손한 게 맞으신가요? 라는 식으로 보내셔야합니다.

잘못 쓴 메시지 : 안녕하세요. ○○○ 펜션입니다. △△△파손 하셨나요? 라고 메시지를 보내면 변명을 하거나, 모르겠습니다 혹은 아닌데요. 라는 답장이 올 수도 있습니다.

속이려 하기보다는 다른 일행이 파손하고 얘기하지 않는 경우도 있고, 비행기가 아침 일찍 가는 비행기인 경우, 혹은 어제 너무 늦게 잠이 들어서 늦잠을 자서 정말 바쁠 수도 있기 때문에 손님이 말을 하지 않았다고, 섣불리 악한 마음을 품었다고 판단을 내리시면 안됩니다.

돈으로 해결되는 문제는 해결할 수 있는 문제입니다.

릴렉스~

추가인원은 몇 명까지가 적정한가? <예비군복 효과>

펜션에 추가인원에 대한 문의가 가끔 옵니다. '정책을 어떻게 할 것인가'에 대한 고민을 하셔야 합니다. 특히 여름에 추가인원에 대한 문의가 많이 옵니다. 미리 생각해 두셔야 합니다.

저희 2인실은 객실이 작습니다. 2인실에 아이를 데려오겠다는 경우에만 추가침구를 추가요금을 받고 제공합니다. 추가인원은 나이제한이 있어서, 초등학생까지만 받고 그 이상은 받지 않습니다. 제 개인적인 서비스 기준이 있는데 불편함을 느낄 것이 분명기 때문입니다. 객실 요금상 제 펜션은 절대 불편하면 안되는 요금의 객실이기 때문입니다. 예약 하실때는 추가인원을 받아달라고 부탁을 하지만, 막상 지낼 때 불편함을 느끼면 불편함만을 기억하시기 때문입니다. 불편했던 펜션으로 기억되고 싶지도 않습니다. 그래서 항상 2인실 기준이기에 3인이 오면 불편할 수 있다는 얘기를 전달합니다. 그래도 감수하겠다고 하시면 감사한 마음을 가지고 응대합니다.

다인실일 경우에 추가 인원을 많이 받지 않으려고 노력합니다. 사실 다인실에 여러 명이 들어올 때 손님들 뇌속에서는 화학반응이 일어납니다. 사람이 많아시면 예비군복 효과가 일어납니다.

점잖던 사람도 예비군복을 입는 순간 껄렁껄렁해지는 것처럼, 점잖던 사람들도 사람이 많아지면 목소리가 커집니다. 가족끼리만 오면 음주를 하더라도 점잖던 사람들이 서로를 믿고 의지하며 껄렁껄렁 해질 수 있습니다.

또 돈을 아끼기 위해서 다인이 들어오는 경우 청소가 상당히 힘들어지는 경우도 있습니다. 제가 기억하는 가장 지저분한 방도 여러 명이 온 경우 였습니다. 남자, 여자들이 모였는데 술안주로 과자를 먹었던 것 같았습니다. 객실에서 소주를 그렇게 많이 본 것도 처음이었고요. MT 숙소도 아니고 이건 저의 철학과 맞지 않습니다. 청소로 저를 힘들게 했던 그분들이 간 뒤로 절대 기준 초과 인원을 받지 않습니다.

문제가 발생해도 가족이라면 가족의 문제이기에 책임을 지지만, 친구들 간에는 서로 책임을 회피할 수 있습니다.

어디까지나 저의 운영철학이니 각자 상황에 맞게 하시면 될 것 같습니다.

손님을 위한 안내장

<맛집>

한국은 2021년 7월 2일 유엔무역개발회의[UNCTAD]에서 만장일치로 선진국 지위를 공인받았습니다. 1인당 국민소득 3만 달러의 시대. 오래 쓰고 튼튼하고 양 많은 걸 선호하던 시대에서 이제는 취향이 생긴 시대입니다. 제주도에 놀러와서 배를 채우기 위해 밥을 먹기 보다는 즐거움을 느끼기 위해서 먹습니다. 맛집 소개는 필수가 되었습니다. 손님에게 사진 찍기 좋은 곳과 관광코스 맛집 까지 종류별로 잘 정리해서 전달해야 합니다. 그 잘 짜여진 코스로 인해서 손님은 가장 큰 고마움을 느낄 수 있습니다. 나와 같이 동행한 동행자가 걷는 것을 좋아하고, 돼지고기를 좋아하고, 사진 찍는 것을 좋아할 때, 나에게 전달된 시험 족보 같은 고급 정보. 이것만 따라갔더니 성공적인 데이트를 하게 되었거나, 어른들을 잘 접대한 감각 있는 사람으로 인정받게 될 수도 있기 때문입니다.

손님 입장에서는 객실을 예약했을 뿐인데 주어진 이 생생한 정보는 예상치 못한 선물입니다. 게다가 이 족보에 나와 있는 아직 못 가본 맛집과 관광코스가 궁금해서 다음 여행을 다시 잡을 수도 있습니다. 제가 운영하는 펜션에도 부부가 둘이 오셨다가, 한 달 뒤 가족실을 예약하신 적도 있습니다. 그 코스 그대로 부모님을 모실 거라고 하셨습니다.

이 코스개발을 위해 맛집을 발굴하고 검증하는 작업을 하셔야 합니다. 맛집을 좋아하시는 분이라면 방문했던 내용을 잘 정리해놓기만 해도 가치가 생깁니다. 어디가 맛있는지 추천해 달라는 문의가 의외로 많습니다. 그때 준비가 안 되어있다면 난감할 수 있습니다. 해당 맛집이 인스타그램을 하고 있다면 인스타그램 팔로우도 하고 펜션인데 손님들에게 맛집이라고 소개하고 있다고 알려보세요. 맞팔이 되고 절친한 사이가 될 수도 있습니다. 손님이 밥을 먹으러 갔다가 '00펜션 에서 왔습니다.'라는 말을 하고 맛집에서 작은 서비스를 받게 될 수도 있습니다. 그렇게 된다면 예약자 손님의 펜션 선택이 두고두고 동승자 손님에게 칭찬 받을 수도 있습니다. 별것 아닌 일이 손님에게는 제주에서의 큰 이벤트로 기억되는 것입니다. 그럴 경우 손님의 만족도는 정말 최상이 될 것입니다.

친구들

<Show me the money>

친구들이 놀러 온다면 돈을 얼마를 받을지 미리 결정하시는 것이 좋습니다. 양쪽 모두 오해하지 않아야 할 점은 펜션이 사업체라는 것입니다. 펜션에서 벌리는 돈이 내 월급인 것입니다. 친구네 집에 놀러 가는 것 정도로 생각하면 문제가 발생합니다. 나는 대도시에 살고 있는 내 친구보다 용기가 더 많아서 펜션을 시작한 사람이지, 자산이 더 큰 사람은 아닙니다. 혹시 자산이 크신 분이시라면 알아서 하시면 됩니다. ^^;;

친구가 결혼한 경우라면 대체로 결정권이 여자에게 있기 때문에 여자쪽이 친구인 경우가 더 많이 오게 됩니다. 의외로 많은 사람들이 펜션이 주말에만 찬다고 생각합니다. 그래서 어차피 비는 방을 공짜로 쓰고 싶다는 생각을 하게 되는 것입니다.

하지만 제 책을 읽고서 펜션을 시작하시는 분들은 그런 주중에 비는 펜션을 운영하지 않으실 거라 믿습니다. 그렇기 때문에 비는 방을 빌려줄 수 없고 지인 할인이 된 비용을 받으셔야 합니다.

친구들 모임이 있다면 펜션을 운영할 것이고 지인 할인을 할 거니까 도와달라고 얘기하세요. 내가 사회에서 무슨 일을 했었던 간에 내 인생에서 펜션 운영은 처음입니다.

그렇기 때문에 나의 정체성은 '도움이 필요한 초보자'입니다. 친구들도 금방 익숙해집니다. 친구들이 블로그 포스트나 인스타피드 혹은 좋아요와 댓글로 도와준다면 정말 큰 힘이 됩니다. 서로 서로 윈윈하시고 입도 성공하셔서 나중에는 친구분들의 제주 입도를 도와주시는 분이 되시기를 기원합니다.

입도를 희망하는 친구분에게 이 책을 선물하시는 것도 잊지 마시고요.

◇◆◇◆◇

9. 다른 책에서는 절대 볼 수 없는 살아있는 제주도 펜션 지식

돌집은 주의하세요.

<나를 지켜줄 특약사항>

구옥을 펜션으로 바꾸려 할 때 조심해야 할 사항들이 있습니다. 건축물대장이 없는 구옥, 혹은 건축물대장에 등록된 것과 다르게 추가 증축된 부분이 있는 구옥 등을 조심하셔야 합니다. 문제는 구옥이 지어진 지가 워낙 오래되었기에 집을 지으셨던 분은 돌아가시고 자식이 상속을 받은 상태이거나, 주인도 자신이 뭘 했는지 잊어버린 경우가 많습니다. 주택으로 사용할 경우에는 상관 없지만 농어촌민박은 무허가 부분이 있으면 허가가 나질 않습니다.

그래서 차후에 농어촌민박 허가를 받으려 할 때, 허가를 받기 위해 무단 증축된 부분을 철거하거나, 도면을 새로 그려 등록해야 합니다. 이 과정에서 철거비가 들어가거나, 도면을 새로 등록하는 비용 (400만원대)이 들어갑니다. 도면을 등록하는 시간도 1달 가량 걸리게 됩니다. 최악의 경우에는 아예 영업을 하기 힘든 경우가 생길 수도 있습니다.

이러한 문제를 확인하기 위해서 계약의 잔금 일정을 1달 이상으로 설정하고, 그 기간 동안 직접 읍.면.동 사무소와 시청에 가서 문의해보셔야 합니다. 그리고 계약서에는 아래와 같이 나를 지켜줄 특약사항을 넣어서 풀지 못하는 문제가 생겼을 때 계약을 해지할 수 있도록 해야 합니다. 무엇보다 경험이 풍부한 부동산중개인을 통해 계약 하는 것이 문제를 해결하기에 좋겠죠.

* 기본 특약사항

임차인은 농어촌민박 허가를 받기 위해 최선을 다한다. 다만 임차인의 노력 여하와 관계없는 문제로 농어촌민박 허가를 받지 못할 경우 계약은 무효로 하고 임대인은 임차인에게 계약금을 즉시 반환한다.

* 원상복구 및 손해배상 청구 금지를 위한 특약사항

해당 임대차 주택은 임차인이 농어촌 민박으로 사용할 예정이다. 임차인은 자비로 내.외부수리를 진행할 예정이다. 이는 정상적인 농어촌민박 영업을 위한 것이며, 건축물의 원래 목적인 주택의 쓰임과 가치를 보존 향상시키는 수리 및 철거로 임대인은 임차인에게 계약 만료 후 주택 내.외부에 원상복구 및 손해배상을 청구 할 수 없다.

한달살기 운영

<펜션허가가 안날때>

펜션허가가 나지 않을 때 어쩔 수 없이 한달살기로 운영을 해야 합니다. 한달살기는 30일이 아니라 15일 이상부터 받을 수 있습니다. 한달살기로 운영한다면 임차한 집으로도 운영이 가능합니다. 이렇게 임대차한 것을 다시 임대차하는 것을 전대차라고 합니다. 그러므로 임대차로 한달살기를 운영하려면 특약사항에 전대차를 하겠다는 구절을 반드시 넣어야 합니다. 만약 이미 계약을 진행하였다면 주인의 허락을 구하셔야 합니다.

한달살기는 금액이 크다보니 언제 입금을 하느냐는 문의가 많은데, 계약은 자유입니다. 법의 저촉되지 않는 선에서는 계약자유의 원칙에 따라 계약금 00%이고 입실 후 완불 등 혹은 완불해야만 예약이 가능하다고 계약할 수 있습니다. 손님 입장에서는 신규업체라 게시물도 없는 곳이라면 도무지 신뢰가 안 될것이고, 숙소입장에서는 계약금을 받지 않으면 손님이 언제든지 취소할 수 있습니다. 숙소의 상황에 따라 조절하시면 될 것 같습니다.

한달살기의 광고는 대개 네이버의 존재하는 한달살기 카페들에서 게시물로 광고하거나 네이버 블로그, 당근 등에서 광고를 합니다. 또 미스터 멘션 등 한달살기를 올릴 수 있는 사이트도 많이 있습니다.

한달살기를 대신 운영해주는 업체들도 많이 있습니다. 업체측에서 방문하여서 숙소를 본 후에 계약조건을 제시한다고 들었습니다. 네이버에 검색하시면 많이 나옵니다.

한달살기는 직접 해보지 않았기 때문에 여기까지만 쓰려 합니다. 펜션을 운영할 수 없는 사정이 생겼을 때 최후의 방법으로 쓸 수 있기에 소개 드립니다.

불경기에 강한 펜션 만들기

<불황을 버틸 수 있느냐?>

사람들은 화끈한 걸 좋아합니다. 펜션이 크고 화려하고 비싸면 긍정적인 생각이 듭니다. 이런 크고 멋진 펜션을 좋아하시는 분은 본인의 경험에 의한 선택입니다. 자신이 좋았었던 경험이 있었기에 긍정적으로 생각하시는 거죠. 하지만 현실은 좀 다를 수 있습니다. 숙박비용이 비싼 펜션은 성수기에는 잘 되지만 비수기에는 가장 먼저 손님이 끊길 수 있습니다. 그러므로 여름 성수기만 받아도 매출이 제법 높기에 전략적 운영을 한다는 마음으로 시작하셔야 합니다.

여름 한철 청소를 강하게 할 체력적 자신이 있지 않다면, 저는 그런 비싼 객실은 운영하지 않는 것을 조언드립니다. 여름에 사람을 구하는 것이 쉽지 않기 때문에 주인은 결국 혼자 청소를 하게됩니다. 물론 청소를 주인이 하는 것은 여러 가지 장점이 있기 때문에, 주인이 청소를 할 수 있다면 가장 좋습니다. 다만 제법 체력을 요하기 때문에 미리 체력적인 준비를 해두셔야 합니다. 직접 청소를 하게 된다면 손님에게 감사의 쪽지를 남겨서 적극적인 소통을 하시기를 추천드립니다. 요즘 세상은 정돈된 모습만 보여주기 때문에 우리가 받는 서비스 뒤에는 사람이 있다는 것을 잊기 쉽습니다. 이때 손님에게 쪽지로 적극적인 소통을 하면 깊은 인상을 줄 수 있습니다.

환금성! 환금성! 환금성!

<환금성>

환금성은 아주 중요합니다. 아파트가 인기있는 이유와 현대차가 인기있는 이유 중에서 환금성이 좋다는 사실은 아주 중요한 부분 중 하나입니다. 펜션을 구입하실 때도 환금성에 대해서 생각해보셔야 합니다. 앞에서 말했듯이 대도시 은퇴자들이 대도시 아파트를 팔아서 펜션을 구입하고 비상금과 펜션운영자금이 남는 가격대가 가장 환금성이 좋습니다. 그보다 비싸다면 수요층이 확 줄어듭니다.

이 환금성 때문에 건물에 과잉투자 하는 것을 경계하고 있습니다. 모든 문제는 이 환금성에서 시작됩니다. 사실상 경매에 나오는 펜션들은 이 환금성에 문제가 있는 것들입니다. 일반매매로 팔지 못했기 때문에 결국 경매까지 나오게 된 것인데, 대부분 건물의 규모가 큽니다. 수리를 하려고 해도 비용이 많이 들고, 살 수 있는 사람의 수요층도 좁기 때문에 결국 경매까지 나오게 된 것입니다. 땅과 건물의 규모가 적정하다면 경기가 좋을때는 좋은 가격으로, 경기가 좋지 않을때는 급매처리하여 다시 돈으로 바꿀 수 있습니다.

펜션이 잘되어서 건물을 더 짓고 싶다면, 부근에 다른 필지를 사서 짓는 것을 추천 드립니다. 절대 필지를 합병하지 마시고 각각 별도의 필지로 가져가셔야 합니다. 한 덩어리로 묶다 보면 남들이 쉽게 살 수 없을 정도로 전체 가격이 올라가게 됩니다.

나중에 매도하려 할 때 펜션의 덩치가 커져서 잘 안팔린다는 것을 알게 된 매수예정자는 반드시 가격을 후려치려 할 것입니다. 하지만 그 역시도 다시 되팔고자 할 때 같은 입장이 될 것이기에 당연한 선택을 하는 것입니다.

그 사람마저도 내 덩치 큰 펜션을 사주지 않는다면 문제는 더 커집니다. 어쩔 수 없이 팔아야 합니다. 생각만 해도 속이 쓰리고, 제주도를 저주하며 떠나게 될 수도 있습니다. 하지만 문제는 제주도가 아닙니다. 시장의 생리를 모르는 것이 문제입니다. 시장은 시장에 대해 잘 아는 참여자를 돈으로 칭찬하고, 잘 모르는 참여자는 돈으로 혼내줍니다.

펜션을 운영하시는 동안에도 돈을 버시고 팔고 나오실 때도 돈을 버시고 나오시기를 기원하며, 마지막으로 한번 더 강조합니다.

환금성! 환금성! 환금성!

펜션 물품 구매 팁

<따라하기>

펜션의 물품도 저의 시행착오를 다시 겪지 않으시도록 써놓았습니다. 해결을 위해 꽤 오랫동안 고민한 문제도 있습니다. 도움 되시길 바랍니다.

1. 원룸 구조일 때 냉장고는 저소음 냉장고를 구매하셔야 합니다. 컴프레셔(압축기)가 돌아가는 소리에 잠이 깰 수 있습니다. 처음에는 예쁜 냉장고를 샀지만 결국 저소음 냉장고로 바꾸었습니다. 방이 따로 있는 구조가 아니라면 반드시 저소음 냉장고로 사셔야 합니다.

2. 여름철에는 일반세제가 아닌 항균세제를 사용하셔야 이불에서 꿉꿉한 냄새가 나지 않습니다. 장마철 꿉꿉한 냄새가 난다고 해도, 손님들이 이해를 해주십니다. 하지만 저녁에 가서 새로운 이불커버로 교체해주는 것은 상당히 번거롭습니다.

3. 식탁이나 의자는 완제품으로 사야 합니다. 가벼운 조립식 제품은 다리가 약해서 흔들린다는 메시지를 이틀에 한번 꼴로

받게 됩니다. 튼튼하고 예쁜 제품을 찾아야 합니다.

4. TV는 고급제품을 살 필요는 없습니다. 저렴하고 화면이 큰 제품을 사용하는 것이 좋습니다.

5. 공간이 된다면 세탁기와 건조기를 넣어주세요. 손님들의 만족도가 매우 올라갑니다. 여름철에 여행지에서 젖은 옷을 비닐에 싸서 가방에 넣었던 경험이 있으실 겁니다. 건조기는 싼 것으로 넣었음에도 손님들이 만족해 하십니다.

6. 여행지에서 사진을 찍기 위해 옷을 새로 사서 오시는 손님도 있습니다. 유채밭에서 입을 옷, 녹차밭에서 입을 옷, 바다에서 입을 옷 등을 준비해 오신 분에게 스팀다리미가 없으면 안됩니다.

7. 수건은 하얀 수건보다는 색상이 있는 수건이 좋습니다. 특히 얇은 수건은 펜션의 급이 떨어져 보일수 있으니 주의 하세요.

8. 비누보다는 핸드워시로 준비해 주세요. 관리하기도 훨씬 쉽습니다.

펜션을 쉬고 싶을 때

<임대주기>

펜션을 하려는 사람들 중에 펜션을 빌려서 하고 싶은 사람들이 많습니다. 이유는 단 하나입니다. 자신감이 부족해서입니다. 사실 잘 될지 안 될지 모르기에 목돈을 들여서 집을 구매하기가 부담스러운 것이죠. 덕분에 펜션을 빌려서 운영하고자 하는 수요는 항상 있습니다. 다만 금액대가 중요합니다. 자신감을 꺾지 않을 정도의 금액대여야 합니다. 가장 선호하는 금액대는 연세로 3000만원/3000만원 이하입니다. 반대로 말하면 여기까지는 거래가 잘 된다는 뜻입니다.

연세를 책정하는 기준은 책 앞쪽에서 소개한 평당 단가를 적용해서, 365일 만실일 경우 연매출이 얼마일지 계산을 합니다. 보통 가격의 기준은 365일 만실 기준으로 연매출의 1/4정도입니다. 빌리는 분도 돈을 가져가려면 1/4은 연세로, 1/4은 공실과 소모품비용으로 잡습니다. 그리고 남은 2/4를 가져가기 위해서 최선을 다하는 것이죠. 펜션을 운영하는데 시설을 가장 중요하게 생각하실 수 있지만, 사실은 노동력이 가장 큰 부분입니다. 반짝반짝하게 유지하는 것이 생각보다 힘들기 때문입니다. 청소시간이나 실제 노동 시간은 11~3시 사이안에 모든 걸

처리하기에 쉽게 생각하실 수 있지만, 사실은 휴무를 잡기도 힘들고, 다른 업무를 하기에도 제약이 있는 시간입니다. (물론 워커홀릭에 아침형 인간에게는 아무 문제가 없을 수 있습니다.) 또 눈에 잘 보이지 않는 노동인 홍보를 하고, 물품이 부족하지 않게 유지하고, 낮시간 에는 응대도 실시간으로 해주어야 손님이 꾸준하게 와서 청소라는 눈에 보이는 노동이 발생하는 것입니다. 보이지 않는 노동이 많이 있기에 운영자에게는 균형 잡힌 능력치가 있어야 합니다.

같은 방식으로 연세를 책정한 후에 거래한 세입자분들은 시간이 흘러 펜션이 안정되면, 다른 매물은 없냐고 추가 문의를 해오십니다. 펜션이 안정되어 돈을 버는 것이 증명되면 가족 중 한분이 더 하시고 싶어하시기 때문입니다. 물론 임대한 펜션 주인분들의 만족도도 높습니다. 같은 조건의 주택으로 임대하는 것보다 돈을 많이 받을 수 있기 때문입니다. 가격을 위에 쓴 기준으로 지정하면 양쪽 모두 행복한 상황이 된다는 뜻입니다. 집이 망가질까봐 펜션으로는 임대를 안주시는 분도 계십니다. 하지만 저는 세입자분들이 펜션에 돈을 너무 많이 투자하여, 오히려 세입자가 걱정되는 상황을 훨씬 많이 보았습니다. 로망이 뇌를 지배하는 상황이 오는 것이죠. 집을 빌려주는 입장 에서는 이 정도로 내 펜션을 사랑해준다면 감사할 일이겠죠.

세입자가 과한 투자를 했지만, 홍보에 능하지 못해서 장사가 잘 되지 않아 문제가 될 수 있습니다. 이럴 때 세입자가 자신의 로망을 위해 자비로 설치한 부분을 나에게 청구 하려 할 수도 있습니다.

하여 이런 상황에서 나를 보호할 수 있는 특약을 첨부합니다. 계약서를 쓰실 때 특약을 첨부하시면 됩니다.

* 특약

임차인은 자비로 □□공사 등을 할 예정이다. 이는 임차인의 원활한 영업을 위한 작업이며, 가치 또한 증대되는 작업이다. 임차인은 차후 임대인에게 매수청구등을 할 수 없고, 임대인 또한 원상복구를 지시할 수 없다.

* 임대를 주기전 확인할 사항

펜션은 기본적으로 2년 이상 계약을 합니다. 세입자가 펜션의 차별화를 위해 투자를 했다면 더욱더 장기적인 계약을 원합니다. 1년살기의 유행과 제주도 특유의 연세문화로 1년간 계약이 기본인 주택보다 더 안정적인 임대가 가능하기에 펜션으로 임대가 가능하다면 펜션으로 임대하시기를 적극 추천드립니다.

그렇지만 펜션으로 임대를 주시기 전에 확장하거나 구조를 바꾼 부분이 없는지 먼저 확인하셔야 합니다. 펜션은 주거와 달리 사업자등록증이 필요하기 때문에 구조가 바뀌거나 확장된 부분이 있다면 허가가 나오지 않습니다. 경미한 구조변경이어서 약간의 작업으로 바꿀 수 있거나, 확장한 부분을 양성화 시킬 수 있다면 건축사에게 돈을 지불하고 문제를 해결할 수 있습니다. 펜션으로 받을 수 있는 돈이 크다면, 문제를 해결하고 펜션으로 임대주시기를 추천드립니다. 양성화 비용은 400만원입니다.

또 입지가 정말 좋은 곳에 구옥이 있다면 구옥의 모든 문제를 해결할 세입자가 나타나는 경우도 많습니다. 물론 그럴 경우에 세입자는 정말로 많은 것을 투자하기에 임대료는 낮고 임대기간은 길어집니다. 서로 윈윈할 수 있는 감사한 만남이 될 수 있습니다. 집은 비워둘수록 상태가 안좋아지고 언젠가 목돈이 생기면 문제를 해결하려는 마음을 가지고 있지만, 살면서 목돈이 생기는 일은 잘 생기지 않습니다. 세금이나 상하수도, 전기 요금등도 발생하고 잡초가 무성해지지 않게 하기 위해 꾸준히 관리도 해줘야 합니다. 구옥을 가지고 있는데, 팔수 없는 상황이라면 임대를 주는 것도 상담해보시기 바랍니다.

주의 : 펜션허가를 받고 난 후에 구조를 바꾸었지만, 시간이 흐르거나 관리자가 바뀌어 구조를 바꾼 것을 잊는 경우가 생깁니다. 이 경우 펜션허가를 받기 위해 생각도 못한 비용이 발생할수 있습니다. 이 부분 또한 잘 확인하여야 합니다.

방충. 잔디관리

<쉽게 관리하는 법>

제주도에서 펜션을 하면 방충에 신경쓰셔야 합니다. 가장 확실한 방법은 토양살충제라고 불리는 싸이메트를 사서 뿌려주는 방법 입니다. 특히 주변에 아무도 살지 않던 곳에 집을 짓고 살게 되었다면 꾸준히 싸이메트를 뿌려주셔야 합니다. 효과는 확실합니다. 뿌리는 순간 알게 됩니다. 윽~ 이거 사람도 죽겠다 싶습니다. 그래서 만약 펜션을 운영하는 중이라면 반드시 손님이 퇴실하고 바로 뿌리셔야 합니다. 최소한 입실 4시간 전에는 뿌리셔야 합니다. 냄새가 날아갈 시간이 필요합니다. 여름에 비가 온 후에도 한 번씩 뿌려주셔야 합니다. 그 외에 약국에서 파는 벌레 퇴치하는 약이 있습니다. 벌레가 닿으면 죽긴 하지만 넓은 곳에 뿌리기에는 적합하지 않습니다. 추천드리지 않습니다. 싸이메트는 뱀도 쫓아내고 개미집도 이사를 갑니다.

환경을 위해서 농약을 안 쓰겠다는 생각을 가지신 분들은 닭이나 고양이를 외부에서 키우시는 것도 강력한 효과가 있습니다. 특히 닭들은 보이는 대로 쪼아댑니다. 허브나 벌레를 쫓는 나는 식물들은 전혀 효과가 없습니다. 기본적으로 방충을 위해서는 집 근처의 돌들을 치우셔야 합니다. 사바나 초원의 동물들이 항상 물가 근처에 있는 것처럼, 벌레들도 이슬이 맺히면서 햇빛이 닿지 않는 조건을 충족시키는 큰 돌 아래에 있습니다. 흙으로 메워 버리든지 치워버리든지 하셔야 합니다.

하수구에서 벌레가 올라오는 것을 방지하는 배수구 트랩을 설치하여야 합니다. 모기가 올라오는 것도 방지 할 수 있고, 냄새가 올라오는 것도 방지 할 수 있습니다. 특히 정화조가 있는 경우에 모기가 많이 생길 수 있습니다. 따뜻한 물을 많이 쓰기에 겨울에도 장구벌레가 죽지 않기 때문입니다. 이 경우 모기 유충 퇴치약을 정기적으로 사용하시면 모기발생을 막을 수 있습니다. 변기에 넣고 물을 내리면 되기 때문에 편리하게 사용하실 수 있습니다.

외부에도 모기가 많다면 주변에 덩굴식물들을 제거하셔야 합니다. 저도 이것을 모르고 연무 분사방식의 제품도 사용해 보았습니다. 인스타그램 사진용으로는 아주 멋집니다. 하지만 에프킬라를 사서 뿌리는 것이 가장 효과가 빠릅니다. 그리고 근본적인 방법은 덩굴식물 제거입니다. 이 덩굴식물들은 바다의 산호초처럼 생태계를 만들어 냅니다. 덩굴식물들의 생태계는 안타깝게도 각종 벌레들부터 뱀까지의 생태계입니다. 우범지대를 제거하는 마음으로 덩굴식물들을 제거하셔야 합니다. 덩굴식물은 곳곳에 줄기가 뿌리를 내리기 때문에 제거하는 것이 정말 어렵습니다. 그리스신화에 나오는 히드라 같은 존재입니다. 히드라를 죽이기 위해서 헤라클레스가 히드라의 목을 자르고 불로 태운 것처럼 덩굴을 제거하려면 덩굴을 뽑고 덩굴이 끊긴 자리에 제조체를 발라서 뿌리까지 죽여야 합니다. 실제로 이 덩굴 식물은 다른 나무에 달라붙어 나무를 감고 조이고 서서히 죽입니다. 덩굴 식물을 제거하고 나면 덩굴식물 더미 뒤에 나무들이 있는 것을 발견하실 수 있습니다. 저도 뒤쪽을 정리하고 났더니 멋진 나무들이 몇 그루 생겼습니다. 모기도 없어졌습니다. 여기에 '제초매트'를 깔아주고 그 위를 자갈로 마무리하면 시간이 지나도 거의 관리하실 필요가 없습니다. 세월이 지나면서 나무들이 멋있어지는 것은 덤이고, 시원한 그늘도 생겼습니다.

잔디는 30cm x 30cm 너비의 잔디를 잔디농장에서 사실 수 있습니다. 잔디농장에서 잔디를 파내는 기계가 균일한 너비와 두께로 잔디판을 흙과 함께 파냅니다. 흙쪽에서 보면 마치 시루떡 같은 느낌이 듭니다. 주문 수량계산은 잔디가 필요한 곳을 자로 재서 넓이를 잰 다음 얘기하면 알아서 준비해줍니다. 파는 곳은 인터넷이나 당근에서 검색하시면 찾으실 수 있습니다. 잔디농장은 보통 지대가 높고 개발하기 힘든 곳에 있는데, 주문할 때마다 잔디를 가져가는 위치가 계속 바뀝니다. 아마 여기저기 임대하여 운영하는 것 같습니다.

잔디를 심을 곳에는 미리 땅위에 모래를 부어서 평탄화한 후에 잔디판을 올려놓습니다. 주의할 점은 뿌리가 공기와 만나면 뿌리가 죽습니다. 그래서 잔디판과 잔디판이 만나는 곳을 모래로 채워주고 물을 뿌려서 빈틈없이 모래가 들어가게 합니다. 여기까지 하면 잔디는 금방 뿌리를 내리고 땅과 하나가 됩니다.

잔디관리 용으로는 전기 충전식 잔디깎이를 추천드립니다. 휘발유를 사용하는 엔진식 잔디깎이는 관리하기가 어렵기 때문입니다. 제가 사용하는 잔디깎이는 그린웍스라는 브랜드에서 나온 제품입니다. 80V 배터리를 사용한다면 힘이 부족하다는 느낌을 받지 않고 사용하실 수 있습니다. 배터리 선택시 암페아를 선택해야 하는데, 백평이 넘지 않으면 작은 배터리인 2.5암페아를 사용하셔도 됩니다. 잔디가 짧게 관리된 모습은 굉장히 보기 좋고, 짧게 깎아 놓으면 잡초와 잔디가 구분되지 않기에 눈에 거슬리는 부분도 없습니다.

잔디 관리는 2월달이 중요합니다. 새 잔디가 올라오기 전에 잔디는 동면을 하고 잡초만 활동하고 있습니다. 이때 풀약을 치시면 잡초없는 잔디밭을 가꾸시는데 매우 수월합니다. 마찬가지로 농약을 안쓰겠다는 생각을 하시는 분들은 이때 뽑아주시면 1년간 수월하게 관리하실 수 있습니다. 이때 활동하고 있는 것은 다 잡초라고 보시면 됩니다.

전략적인 렌탈 활용

<렌탈>

렌탈을 이용하여 돈이 부족한 경우의 문제를 해결할 수 있습니다. 장점으로는 물건값을 36개월 정도로 나누어서 낼 수 있고, 단점으로는 렌탈기간을 채워야 한다는 것입니다. 매매로 펜션을 준비하다 보면 마지막에 가서 돈이 다 떨어지는 경우를 많이 봅니다. 영업을 시작하여 돈이 들어오기 직전 단계에서 돈이 떨어진 경우를 보릿고개라고 표현합니다. 문자 그대로 보릿고개만 지나면 손님을 받아서 돈이 들어올 수 있습니다.

렌탈을 해주는 업체들은 인터넷에서도 찾을 수 있고, 건축박람회에 가서도 만날 수 있습니다. 건축박람회에서는 건축박람회를 위한 특별 프로모션, 즉 더 많은 할인을 제공할 수 있기 때문에 확인해 보시기를 바랍니다. 펜션 완공을 남겨둔 상태라고 말한다면 렌탈업체의 책임자는 상담이 렌탈로 이어질 확률이 매우 높다고 생각해서 관심을 가질 것입니다. 정수기, 공기청정기, 스타일러, 침대 매트리스등을 렌탈 할 수 있습니다. 주기적으로 관리를 받아야 하는 제품들을 렌탈 해줍니다. 에어컨, 세탁기, 건조기, TV 등은 마트 등에서 신혼부부, 신구산, 명절, 여름휴가 등을 위한 할부 프로그램등을 수시로 운영하니 바쁘시더라도 틈틈이 인터넷을 확인해보시면 좋습니다. 당근에 좋은 물건이 싸게 있다면 거기에서 문제가 해결되겠네요. 당근도 좋은 물건은 워낙 경쟁이 치열해서 가격이 좋은 물건을 사는게 쉽지 않을 수 있습니다.

보릿고개 중이시라면 조금만 더 힘내시길 바랍니다.

◇◆◇◆◇

10. 맺음말

건축에 대한 짧은 글

<건축주가 해야 할 부분>

건축을 해보지 않은 분이 펜션을 하기 위해 건축을 하신다면 추천 드리지 않습니다. 하지만 자기가 원하는 것이 정말로 선명하신 분이라면 건축을 하셔야 합니다. 하지만 대부분은 자신이 원하는 것이 선명하지 않기에 문제가 됩니다.

선명해지려면 자신이 원하는 사진을 집의 부위마다 모아서 스크랩을 해 놓아야 합니다. 외장은 이걸로, 거실은 이런 구조로, 주방은 이 형태로, 선명하면 선명할수록 좋습니다. 다만 내 머릿속에서만 선명하면 절대 상대에게 전달할 수 없습니다. 반드시 사진으로 보여줘야 합니다. 건축은 아무것도 없는 제로(Zero)에서 시작합니다. 그렇지만 건축이 시작하기 전에 이미 많은 것이 결정되어 있어야 합니다. 하지만 선택할 것이 너무나도 많습니다. 골조(뼈대)를 무엇으로 할지부터 난관입니다. 철근콘크리트가 제일 좋다고 하는데 가장 비쌉니다. 어디서부터 손을 대야 할지 모르겠습니다. 그렇기 때문에 미리 미리 준비를 해놓아야 합니다. 홀더나 파일에 사진과 자료를 차근차근 모으셔야 합니다. 저 또한 어떻게 시작해야 할지 몰라서 시골살이를 꿈꾸는 사람들이 모인 네이버 카페에서 돈을 내고 교육을 받았습니다. 그때 배웠던 것 중에서 몇 가지 포인트를 전달하겠습니다.

시공자를 구하실 때는 반드시 건축을 진행 중인 현장이 있는 시공자를 찾으세요. 현장이 잘 돌아가고 있고 시공팀들이 안정되어 있다면, 추후에도 문제가 발생하지 않을 확률이 매우 높습니다. 지금 공사하고 있는 현장이 없다면, 혹은 시공을 따낸 지가 너무 오래되었다면, 자금난에 시달리고 있을지도 모릅니다. 정말 자금난에 시달리고 있어서 모든 일에 100% 선금을 요구한다면, 거래하지 않는 것이 좋습니다. 내가 준 돈으로 그전에 못 치른 대금을 막고 현장 막판 즈음에는 돈이 없어서 문제가 발생할 수도 있습니다.

아는 동생이 펜션을 짓기로 해서 제가 대신 업체의 현장을 방문한 적이 있습니다. 현장에 가면 건축허가표지판이라는 하얀 표지판이 있습니다. 건축주와 설계자, 감리자, 시공자의 이름과 전화번호가 나와 있어서 거짓말을 할 수 없습니다. 현장에 가보니 눈에 잘 보이지 않는 곳까지 꼼꼼하게 우레탄폼을 쏴 놓았습니다. '바늘구멍에 황소바람 들어온다'는 속담이 있습니다. 집은 공장에서 만들어오는 것이 아니기에 지으면서 이런 빈틈이 생깁니다. 가위로 종이를 완벽한 직선으로 자르는 것이 거의 불가능하듯이 집집이 따듯하고 밖에서 벌레가 침투하지 않게 하려면 이 간단한 작업이 매우 중요합니다. 그렇지만 눈에 잘 띄지 않기 때문에 하지 않는 경우가 많습니다. 그점이 마음에 들어 그 업체와 계약을 했습니다. 본인들의 전문분야인 작업까지는 수월하게 했고, 비전문분야에서는 다른 전문가를 불러서 마무리까지 잘 되었습니다.

업체를 선택했다면 일당을 기준으로 일하는 사람에게는 시간이 돈이라는 것을 명심하셔야 합니다. 어떤 작업을 한다면 그 전에 색상 위치 종류 등이 결정되어야 합니다. 작업 당일에 작업자를 앉혀놓고 상담을 한다면 작업 진행이 안되더라도 그 사람의 일급을 지급해야 합니다. 현장소장이 공정의 순서를 잘 진행한다면 건축주는 미리미리 자재를 결정해주어야 합니다. 일을 잘하는 작업자는 항상 스케줄이 꽉 차 있습니다. 미리 스케줄을 잡고 자재를 결정 해주어야 최고의 작업자를 불러서 시공할 수 있습니다.

벽에 붙어있는 스위치, 콘센트, 인터넷 단자 등은 추가물(Add-on)이 아니라 붙박이(Built-in)입니다. 잘 생각해보시면 배관, 박스, 전선 모든 것이 벽안에 들어있습니다. 벽이 생길 때 동시에 생겨야 합니다. 물론 나중에 시공할 수도 있지만 나중에 시공하는 것은 몇 배의 노력이 필요합니다. 결과물이 좋기 위해서는 사소한 것부터 미리 지정되어 있어야 하며, 얼마나 더 꼼꼼한지 혹은 경험이 많아서 놓치는 것이 없는지가 중요합니다.

주택을 건축하시는 경우 정말 깜짝 놀랄 만큼 선택해야 할 사항이 많습니다. 화장실 타일만 해도 수없이 많고, 벽지나 페인트의 색상 등도 그보다 많을 것입니다. 기술적으로 얘기하면 이 세상에서 규정된 색상의 수 만큼 많이 있습니다. 거기에 집기와 샷시 도어 등의 스타일과 브랜드 등도 수없이 많습니다.

그러므로 반드시 미리 준비를 하셔야 합니다. 하면서 알아보겠다는 마음으로 진행하시면 진행이 느리고 그만큼 비용이 추가됩니다.

2차원의 도면을 3차원의 현실로 구현할 수 있는 사람을 기술자라고 합니다. 현장에서 도면을 읽지 못하는 사람은 A지점에서 B지점으로 물건을 옮기거나, 관리자가 할당시킨 작업만을 하게 됩니다. 집에 문제가 있어서 사람을 불러서 고치신 경험이 한 번쯤은 있으실 겁니다. 열심히는 하시는데 진척이 없다면 그 사람은 전체 공정을 읽지 못하는 사람일 확률이 높습니다. 전체를 볼 수 있는 역량이 있는 작업자와 아닌 작업자를 구분 하실 줄 알면 펜션을 하면서 사람을 불러야 할 일이 생길 때 큰 도움이 됩니다. 건축을 하실 때 역량이 있는 작업자와 아닌 작업자의 차이점을 잘 파악해 두세요. 작업복 입은 아저씨라고 다 같지 않습니다. 좋은 작업자를 고르는 팁을 드리자면 작업을 의뢰 했을 때 알 수 있습니다. 작업전에 현장을 방문하거나, 사진을 보고 미리 계획을 세우는 사람이라면 믿어도 됩니다. 미리 준비를 하는 작업자는 이것저것 귀찮게 물어보기도 하고, 미리 자재와 공구를 예상하여 준비합니다. 그래서 당일에는 계획한 대로 일정하고 균일하게 작업을 하고 마칩니다. 그러나 현장을 미리 확인해 보지 않고 작업 당일에 보이는 대로 일하는 사람은 조금 일하다가 자재를 사러 가고, 필요한 공구를 가지러 갑니다. 바쁘게 최선을 다해 일을 하는 것처럼 보입니다만, 작업의 품질은 균일하지 않습니다. 아주 큰 차이가 있습니다.

희망적인 이야기를 하나 하자면 집의 형태가 내 생각과 달리 멋지게 안 나올지라도, 혹은 이미 지어진 집을 사서 내가 할 수 있는 부분이 없더라도 괜찮습니다. 실제로 집의 분위기를 가장 좌우하는 것도 벽지, 페인트, 바닥재, 전등입니다. 눈에 가장 잘 보이는 것들이기 때문입니다. 그 다음으로 분위기를 좌우하는 것도 커튼이나 침구, 소파 등입니다. 지금부터라도 충분히 멋져 보일 수 있습니다.

이 정도에서 건축비에 대한 설명이 가능할 것 같습니다. 자동차를 살 때 풀옵션 차량은 다음 등급의 기본옵션(일명 깡통) 차량과 비슷해질 수 있습니다. 업체에게 평당 단가를 물어보았을 때, 앞에서 설명한 수많은 선택사항을 결정하지 않고 제시할 수 있는 평당 단가는 기본옵션 차량처럼 가장 기본입니다. 옵션을 계속 넣다 보면 20평대 건물의 건축비가 30평대보다 비싸질 수 있습니다. 엑셀로 된 세부 내역서를 받아서 그 부분에 자재를 업그레이드한 가격으로 고치면 최종 금액을 알 수 있습니다. 현장소장의 역할을 하는 사람이 세부 내역서를 만들 역량이 안된다면 문제가 있습니다. 수선 및 개보수는 예상치 못한 것이 나오지만 무에서 유를 창출하는 신축은 작업인원과 작업시간을 예상할 수 있습니다. 자재 또한 계산할 수 있고요. 변수는 날씨나 갑작스런 자재수급 문제 뿐입니다. 그 내역서에는 당연히 현장소장의 월급이나 비용이 들어가야 합니다. 그게 없다면 어디에선가 자기 월급을 가져가려 할 것입니다.

또 오해를 많이 하시는 부분이 어디까지의 공사비용인지 서로 의견이 같아야 합니다. 업체에서는 당연히 외부 데크공사와 잔디식재는 별도라고 생각하고 있고, 건축주는 당연히 해주는 것이라고 생각하고 있을 수 있습니다. 일단 공사를 따고 나중에 멱살 잡히면서 해결하자는 마인드로 운영하지 않는다면 이 부분이 명확해야 합니다. 건축주와 시공업체는 비즈니스로 만났을 뿐입니다. 서로 간의 약속을 잘 지켜주면 최고의 파트너입니다. 그러기 위해서는 먼저 약속이 명확해야 합니다. 확실한 계약서만이 나중에 싸움을 방지합니다.

내가 생각하는 펜션의 성공이란 무엇인가?

<가감없이>

펜션은 은퇴자의 소일거리로 접근하면 소일거리가 될 것이고, 비즈니스로 접근한다면 비즈니스가 될 것입니다. 또 로망으로만 접근한다면 본인의 로망을 이루게 될 것입니다. 손님들의 로망과도 일치한다면 손님들이 방문할 것이고, 자신만의 로망이라면 손님의 외면을 받을 것입니다.

많은 손님들이 방문해주시는 것을 성공이라 생각하고, 대중적인 손님의 로망을 실현시켜 준다면 대중적인 손님들이 많이 찾아오실 겁니다. 또 나와 맞는 소수의 손님과 교류하는 것이 성공이라고 생각하시는 분은 나와 맞는 손님이 올 수 있도록 알리고 유지하면 시간이 갈수록 내가 원하는 소수의 손님들이 찾아 오실 겁니다.

즉 '내가 원하는 손님'들이 원하는 것, 그것을 내가 제공해야 합니다. 빈집만 가지고 있다고 펜션이 되는 것은 아닙니다. 내가 손님에게 줄 수 있는 것을 명확히 그리고, 꾸준히 광고한다면 그것에 반응하는 손님들이 찾아오시게 되는 것입니다.

무엇이 안된다고 혹은 잘된다고 이분법적으로 사고하고 얘기하는 사람들이 있습니다. 하지만 불황속에서도 잘되는 비즈니스가 있고, 호황일때도 안되는 비즈니스가 있습니다. 계속 안되다가 광고하는 방식, 혹은 가격만 조금 바꾸었더니 잘 되는 곳도 있습니다. 업종 전체의 문제가 아니라 내가 운영하는 방식의 문제일 수도 있다는 말입니다.

대중적인 손님에게 어필하는 방법을 확실히 배우셔서, 적어도 손님이 원하는 것을 몰라서 경영의 어려움을 겪지는 않으시길 바랍니다. 본인의 로망을 따라가실 분의 선택을 잘못되었다고 하지는 않습니다. 다만 로망과 비즈니스가 섞인 상태에서 길을 잃어 최선을 다했지만, 결과는 좋지 않은 것을 막아드리는 역할을 하는 책이 되었으면 좋겠습니다.

끝까지 읽어주셔서 감사합니다.